Le voleur de sabres

Pour Tina, Nick et Joe,
à jamais.
P. L.

TITRE ORIGINAL :

The Sword Thief

© 2009, Scholastic Inc.
Tous droits réservés, reproduction même partielle interdite.
Publié avec l'autorisation de Scholastic Inc.,
557 Broadway, New York, NY 10012, USA.
The 39 Clues (Les 39 clés) et tous les logos qui y sont associés sont des
marques déposées de Scholastic Inc.
© 2011 Bayard Éditions
pour la traduction française et les illustrations.
Dépôt légal : mai 2011
ISBN : 978-2-7470-3200-1
Imprimé en Espagne
Loi n° 49-956 du 16 juillet 1949 sur les publications destinées à la jeunesse.
Troisième édition

Le voleur de sabres

Peter Lerangis

Traduit de l'anglais (États-Unis)
par Vanessa Rubio-Barreau

Illustrations intérieures
de Philippe Masson

bayard jeunesse

Une série de 10 titres
qui paraîtront tous les 2 ou 3 mois,
de février 2011 à décembre 2012 !

**Pour participer à la chasse aux 39 clés
et gagner des clés plus vite que Dan et Amy
va sur le site Internet dédié à la série :**

www.les39cles.fr

JOUE ET GAGNE !

Connecte-toi vite sur le site www.les39cles.fr

Une fois sur la page d'accueil :

Crée ton compte
et choisis un mot
de passe.

Sur ton compte, va sur la page des jeux : « **gagne des clés** »
et entre ton code personnel. Soulève le deuxième rabat
de la couverture de ton livre, et regarde ! Il y a des chiffres
imprimés, c'est ton code : **il est unique**.

Entre-le ici !

À partir du tome 3, tu as deux codes personnels à entrer sur
le site, et cela jusqu'au tome 10. Tu refais donc la même chose !

À chaque code entré, tu gagnes **300 points**, et la clé du livre, celle que Dan et Amy découvrent à chaque aventure ! Cette clé t'est présentée dans une vidéo et tu peux la retrouver dans « **le tableau des clés** ». Le but est bien sûr d'obtenir les 39 clés !

Joue ensuite aux jeux qui te sont proposés ! Gagne deux à trois nouvelles clés par livre et complète ainsi ton tableau des clés.

Des jeux d'action
comme le labyrinthe des squelettes, la course à Sydney, le jeu de l'hélicoptère…

Des jeux d'observation
où, par exemple, tu dois retrouver sept erreurs dans un tableau représentant Benjamin Franklin, le savant américain du tome 1 qui donne tant de fil à retordre aux héros ! Le jeu « Où est la perle ? »…

Des jeux de réflexion
comme le sudoku, le jeu Mozart où tu dois reproduire une musique de Mozart, le pendu…

Plus tu as de points, **plus tu as de chance de décrocher une clé** et de voir la vidéo de cette clé, qui est bien sûr différente de celle du livre !

Tu dois en fait atteindre un score maximum indiqué sous chaque jeu.
Tu peux y rejouer tant que tu veux !
Toutes les clés que tu as gagnées s'afficheront en orange **sur la carte interactive du monde** ou dans le « **tableau des clés** ».

À chaque nouveau tome, il y aura de nouveaux jeux, de nouveaux défis ! Bien évidemment on t'avertira de la date de sortie des prochains volumes.
Alors n'hésite pas à revenir souvent sur le site !

Et si tu as réussi à gagner les clés de tous les jeux, va consulter les autres rubriques !

PROLONGE TA LECTURE
EN SURFANT SUR LE SITE !

Tu en sauras davantage sur les **héros** (leurs points forts, leurs points faibles, leur devise !), sur les différents **clans**, sur les concurrents : l'acteur hollywoodien à la dernière mode, Jonah Wizard, l'ex-espionne russe du KGB, Irina Spasky…, sur les auteurs comme Rick Riordan ou sur l'illustrateur Philippe Masson qui vit à Tours…

Tu apprendras plein de **choses passionnantes** sur les lieux que traversent Dan et Amy : Venise, les Catacombes de Paris, Montmartre, Tokyo, Sydney… et sur les **personnages célèbres** sur qui nos héros enquêtent : le savant américain Benjamin Franklin, le célèbre compositeur Mozart, le guerrier japonais Toyotomi Hideyoshi, la famille Romanov, Chaka Zoulou…

Dans les bonus, Nellie, la jeune fille au pair, te fera même découvrir ses recettes préférées…

RDV sur le site www.les39cles.fr !

IL EST FAIT POUR TOI !
DE NOMBREUX LOTS, VOYAGES,
CADEAUX SONT À GAGNER !

I. Ciao, Venise !

Ça sentait le roussi.

À l'aéroport, Amy Cahill suivit des yeux le sac de voyage plein à craquer qui tanguait sur le tapis d'enregistrement. Au-dessus du comptoir, une pancarte indiquait en cinq langues :

> Venise vous remercie de votre visite.
> Des bagages sélectionnés au hasard
> pourront être fouillés.

– Ça, c'est la meilleure, s'exclama Amy. Qu'est-ce qu'ils entendent exactement par « hasard » ?

– Je t'avais prévenue ! Un guerrier ninja garde toujours ses sabres dans son sac à main, lui chuchota Dan.

Son frère avait vraiment un sens de l'humour douteux.

– Excuse-moi, Jackie Chan, mais tous les bagages à main sont passés au scanner, lui répondit-elle à voix basse. Et les agents de sécurité pourraient se poser des questions en découvrant un sabre de samouraï dans un sac à dos. Surtout si son propriétaire est un garçon de onze ans surexcité qui se prend pour un ninja.

– On aurait pu raconter qu'on en avait besoin pour faire du carpaccio. Les Italiens sont de fins gourmets, ils auraient compris.

– Ça te tente vingt ans de prison ferme pour trafic d'armes ? répliqua Amy.

Dan haussa les épaules. Il souleva une caisse de transport où un chat, l'air passablement contrarié, l'observait à travers le grillage.

– Bye bye, Saladin. Je te promets, dès qu'on sera arrivés à Tokyo, tu auras des sushis au merlan tous les jours !

– *Mrraw* ? miaula le mau égyptien tandis que Dan posait doucement la cage sur le tapis roulant.

Derrière eux, des cris discordants semèrent la panique dans la file d'attente.

– Oh yeaaah… yeeeeaaaaahhhh !

Amy et Dan reconnurent la douce voix de leur jeune fille au pair, Nellie Gomez, chargée de veiller sur eux. Elle dansait en écoutant son iPod. Elle se moquait complètement de passer pour un phoque asthmatique, c'est ce qui faisait son charme.

Amy suivit des yeux les bagages derrière le comptoir d'enregistrement. Si les autorités fouillaient leur gros sac, ça risquait de dégénérer…, et il faudrait filer en vitesse.

Ce n'était pas l'entraînement qui leur manquait. Ces derniers temps, ils ne cessaient de courir. Cela avait débuté le jour où ils avaient accepté le défi que leur grand-mère, Grace Cahill, avait lancé à ses héritiers dans son testament. Peu de temps après, ils avaient miraculeusement échappé à l'incendie de son manoir. Depuis, ils avaient successivement failli être réduits en bouillie lors d'une explosion dans un musée de Philadelphie, être lynchés par des moines en Autriche et mourir noyés dans les canaux de Venise.

Bref, leurs adversaires – oncles, tantes, cousins – se relayaient pour leur jouer de mauvais tours.

Parfois, c'est-à-dire environ toutes les trois secondes, Amy se demandait pourquoi ils avaient accepté de relever le défi. Ils auraient tout aussi bien pu choisir d'encaisser tranquillement un petit million de dollars, comme plusieurs autres membres de la famille.

Mais Grace avait proposé une autre option : partir à la recherche des 39 clés qui permettraient de retrouver un secret perdu depuis des siècles et censé donner un pouvoir absolu.

Auparavant, Amy et Dan avaient vécu une existence parfaitement ordinaire. À la mort de leurs parents, sept ans plus tôt, ils avaient été recueillis par leur tante Béatrice, une vieille grincheuse qui avait cependant eu la très bonne idée de les confier à Nellie, la jeune fille au pair.

Cependant, depuis la lecture du testament, ils avaient compris qu'ils devaient accomplir leur destin, en tant que membres de la famille la plus puissante du monde, les Cahill. Aussi incroyable que cela puisse paraître, aussi tous les grands génies de ce monde semblaient en faire partie.

– Eh, Amy, on monte sur le tapis pour voir ce qu'il y a derrière le rideau ?

Ça, c'était Dan tout craché.

– Arrête tes bêtises et viens !

Prenant son frère par le bras, elle se dirigea vers la zone des départs. Nellie les suivait de près, tripotant d'une main son iPod pendant que, de l'autre, elle remettait en place son piercing en forme de serpent.

Amy consulta la pendule de l'aéroport. 14 h 13. L'avion devait décoller à 14 h 37. Pour un vol international, ils auraient dû enregistrer les bagages au moins deux heures à l'avance, et pas vingt-quatre minutes avant le décollage !

– On ne va jamais y arriver ! gémit-elle.

Bousculant les autres passagers, ils se mirent à courir vers le contrôle de sécurité.

– Je te parie qu'ils n'ont pas trouvé Remus et Rufus ! cria Dan.

– Qui ça ? s'étonna Amy.

– Les sabres ! Je leur ai donné les prénoms des fondateurs de l'Italie.

– D'abord, c'est Romulus et Remus. Ensuite, ils ont fondé Rome. Et ne t'avise pas de prononcer ce mot encore une fois.

– Quoi, Rome ?

– Non : S-A-B-R-E, chuchota-t-elle alors qu'ils se mettaient au bout de la file pour passer le contrôle. Tu as envie d'aller en P-R-I-S-O-N ?

– Oups, pardon !

– Ohohohohohhhhh, hurlait Nellie qui chantait faux sur une musique punk.

L'attente leur parut durer une éternité. Comme toujours, le moment le plus éprouvant pour Amy fut d'ôter son collier de jade avant de passer sous le

17

portique. Elle avait horreur de s'en séparer, ne serait-ce qu'une minute.

Lorsqu'ils eurent terminé, la pendule indiquait 14 h 31. Ils se ruèrent vers la porte d'embarquement.

Une voix avec un fort accent italien annonça dans le haut-parleur :

– Embarquement immédiat pour le vol 807 de la Japan Airlines, à destination de Tokyo, porte 4.

Ils firent la queue pour accéder à l'avion. Devant eux, un bambin enrhumé se retourna et éternua sous le nez de Nellie.

– Faut mettre sa main devant la bouche ! rouspéta-t-elle en s'essuyant avec sa manche.

– Vous n'auriez pas vu ma carte d'embarquement ? demanda Dan en fouillant dans ses poches.

– Tiens, prends la mienne, proposa la jeune fille au pair, elle est pleine de morve.

– Regarde dans ton bouquin, lui suggéra Amy.

Il tira de la poche arrière de son pantalon un livre de poche tout corné qu'il avait trouvé dans le taxi en venant : *Les plus grandes comédies de l'histoire du cinéma*. La précieuse carte d'embarquement se trouvait à la page 93.

– *Un monde fou, fou, fou, fou*, lut Dan.

– Ta remarque la plus pertinente de la journée, plaisanta Amy.

– Non, c'est le titre d'un film ! Ça a l'air complètement dingue…

Une hôtesse de l'air, postée à l'entrée du soufflet qui donnait accès à l'avion, les accueillit gaiement :

– Bienvenue à bord, avancez, s'il vous plaît…

Elle portait un casque muni d'un micro, marqué du logo de la compagnie aérienne Japan Airlines. D'après son badge, elle s'appelait : « I. Rinaldi ».

Nellie présenta sa carte et s'engouffra dans le soufflet. Dan tendit à son tour son billet à l'hôtesse.

– C'est un film vraiment très drôle. Tu vois, tous les héros recherchent un trésor…

– Ne faites pas attention, il est un peu perturbé, s'excusa sa sœur en le poussant dans le soufflet.

Mais Mme Rinaldi leur bloqua soudain le passage.

– *Un momento, per favore.*

Elle essaya de conserver un sourire professionnel en écoutant attentivement ce qu'on lui disait dans ses écouteurs.

– *Sì… ah, sì sì sì sì… buono,* répondit-elle dans son micro.

Puis elle se retourna vers Dan et Amy :

– Voulez-vous me suivre, s'il vous plaît ?

Amy essaya de surmonter son angoisse. Oh non ! Ils avaient dû trouver les sabres.

Dan arborait un air innocent. Parfois, elle n'avait qu'à le regarder pour savoir ce qu'il avait en tête.

« On part en courant ? », demandaient ses yeux.

« Et où ? », lui répondit-elle en battant des cils.

« Tu n'imagines pas les ressources insoupçonnées du cerveau humain. Je connais une technique ninja de contrôle mental pour devenir invisible », pensa-t-il.

« Encore faudrait-il que tu aies un cerveau », ricana-t-elle silencieusement.

Nellie revint sur ses pas pour voir ce qu'ils fabriquaient.

– Simple contrôle de routine, affirma Mme Rinaldi. Mon supérieur m'indique qu'il s'agit seulement d'une procédure de vérification. Veuillez attendre le long du mur, s'il vous plaît.

Elle fila d'un pas pressé avec leurs deux cartes d'embarquement, et disparut de leur champ de vision.

À l'intérieur du soufflet, une autre hôtesse interpella la jeune fille au pair :

– Allez vous asseoir, madame. Ne vous inquiétez pas, l'avion ne partira que lorsque tous les passagers auront embarqué.

– Je déteste les aéroports, bougonna Nellie, exaspérée. Bon, à tout à l'heure ! Je vous garde un sachet de cacahuètes, promis.

Elle disparut de nouveau dans le soufflet, et Amy chuchota à l'oreille de son frère :

– C'est sûr, ils ont fouillé ton sac. Maintenant, ils vont nous emmener au poste de police, prévenir tante Béatrice et on ne reverra plus jamais Nellie.

– Tu vois vraiment tout en noir, répliqua-t-il. Il suffira de leur dire que quelqu'un a mis les sa..., hum, les tu-sais-quoi, dans nos bagages, et que nous ne les avions jamais vus auparavant. Nous sommes des enfants, on nous croira sur parole. Et puis, si ça se trouve, ils n'ont même pas touché au sac ! Ils font peut-être une deuxième vérification des passeports, juste pour être sûrs qu'ils ont le droit de laisser monter quelqu'un d'aussi moche que toi dans l'avion.

Amy lui envoya un coup de coude dans les côtes.

– Dernier appel : embarquement immédiat pour le vol 807 de la Japan Airlines à destination de Tokyo, annoncèrent les haut-parleurs. Présentez-vous porte 4.

Une hôtesse de l'air tendit une sangle à l'entrée du soufflet. Amy était de plus en plus nerveuse. L'avion n'allait pas les attendre des heures.

– Il faut qu'on retrouve cette Mme Rinaldi en vitesse, dit-elle. Viens !

Elle prit son frère par le bras, et ils s'élancèrent vers l'endroit où l'hôtesse avait disparu.

Boum ! Ils se heurtèrent à un couple qui venait en sens inverse, longs imperméables noirs et cols rabattus sur le visage.

– Vous ne pouvez pas faire attention ! cria Dan.

Amy et Dan eurent juste le temps de remarquer des chaussures d'homme vernies noires et des baskets incrustées de strass. Le couple passa près d'eux en trombe en brandissant des cartes d'embarquement.

– Poussez-vous s'il vous plaît, cria l'un des deux en empoignant la sangle pour l'écarter.

Reconnaissant la voix, Amy se retourna.

– Hé, attendez !

Un agent de l'aéroport, qui tentait de rattraper les deux passagers, leur ordonna également de s'arrêter, ce qu'ils firent poliment. L'homme examina les billets d'un rapide coup d'œil et leur fit signe qu'ils pouvaient embarquer.

– Bon vol, Dan et Amy ! lança-t-il avant de remettre la sangle en place.

Les deux passagers baissèrent alors le col de leurs manteaux. Amy, ébahie, découvrit ses cousins Ian et Natalie Kabra, arborant un sourire insolent. C'étaient leurs principaux rivaux dans la grande course aux 39 clés. Rivaux dont la méchanceté n'avait d'égale que la richesse et l'habileté.

– *Sayonara*, bande de minables !

2. Des adversaires féroces

– Arrêtez-les ! hurlèrent Dan et Amy en se lançant à leur poursuite.

L'agent de l'aéroport leur barra la route.

– Vos cartes d'embarquement, *per favore* ?

Impuissants, ils virent Ian et Natalie s'engouffrer
dans le soufflet. Puis ils entendirent la porte de
l'avion se refermer avec un bruit sourd.

– Ce… ce sont les Kabra ! haleta Dan. Les affreux
Kabra. *Orribili, terribili, Kabrili !* Ils ont pris notre
jeune fille au pair en otage !

Un petit attroupement s'était formé autour d'eux.
Fixant Amy droit dans les yeux, l'agent redemanda :

– Vos cartes, s'il vous plaît ?

Dan se tourna vers sa sœur, affolé. Il semblait dire :

« C'est toi la plus vieille, fais quelque chose ! »

Les questions se bousculaient dans l'esprit de la jeune fille. Ils avaient laissé les Kabra à demi inconscients dans une salle de musée en feu, à Venise. Qui les avait secourus ? Comment leurs cousins avaient-ils pu les retrouver aussi rapidement ? Et comment s'étaient-ils procuré des billets à leurs noms ?

Les Kabra avaient toujours une longueur d'avance sur eux. Ils étaient plus intelligents, plus rapides et, surtout, ils étaient impitoyables. Ils venaient de se faire passer pour eux et de piéger une Nellie sans défense. Comment expliquer tout ça à l'agent en deux mots ? Amy ouvrit la bouche, mais rien à faire : elle était pétrifiée. Trop de regards braqués sur elle. Comme si ses cordes vocales avaient été ligotées.

Son frère prit la parole :

– Bon, monsieur, écoutez, l'homme et la femme qui viennent de passer ont usurpé notre identité, *comprendo* ? Leurs billets sont au nom de Cahill et ce ne sont pas eux, les Cahill... enfin si, mais ils sont d'une autre branche de la famille, vous voyez, ce sont des Lucian, et nous sommes plus ou moins cousins. C'est une longue histoire : nous participons tous à un défi lancé par notre grand-mère et... IL FAUT LES ARRÊTER TOUT DE SUITE !

– Désolé, répondit l'homme, mais si vous n'avez pas vos billets...

C'était peine perdue. Il fallait retrouver l'hôtesse de l'air ou bien la personne qui l'avait appelée, sans doute son supérieur. Il était peut-être encore temps d'empêcher l'avion de décoller.

Amy et Dan retournèrent dans la galerie principale. Au loin, ils aperçurent les boutiques et les cafés.

Sur leur droite, se trouvait un placard de fournitures et une porte vitrée spécifiant « Interdit à toute personne étrangère au service ». À gauche, à l'entrée des toilettes pour dames, un groupe de badauds tentait d'apercevoir les secours qui sortaient une femme sur une civière. Agents de sécurité et policiers accouraient de toutes parts.

Amy s'efforçait de reconnaître un visage familier dans cette cohue, lorsque soudain l'éclat d'une chevelure blonde attira son attention.

– Dan, regarde !

– Tiens, tu as retrouvé l'usage de la parole ? Qu'est-ce qu'il y a ?

Une femme de haute taille se faufilait parmi les voyageurs. Elle portait un uniforme de la Japan Airlines trop large pour elle.

Ayant bel et bien retrouvé sa voix, Amy hurla :

– IRINA !

Cette allure raide, cette démarche militaire... pas dc doute c'était bien Irina Spasky ! Tout comme Ian et Natalie, c'était une de leurs adversaires dans la course aux 39 clés. Aussi cruelle et impitoyable. Et qui plus est, ancienne espionne du KGB, le principal service de renseignements de l'ex-Union soviétique.

Comme si elle n'avait pas entendu, Irina pressa le pas et se fondit dans la foule.

– Arrêtez-la ! cria Dan.

Il s'élança dans sa direction.

Il faillit entrer en collision avec un homme en fauteuil roulant. Celui-ci, la mine revêche, le menaça de sa canne ; Dan esquiva le coup.

Jouant des coudes, ils se frayèrent un chemin entre les passagers, chariots et bagages pour rattraper Irina. Mais lorsqu'ils arrivèrent à l'autre bout du terminal, plus calme, elle s'était tout bonnement volatilisée.

– Envolée, constata Dan.

– C'est... c'est impossible, haleta sa sœur. Elle a dû s'allier avec Ian et Natalie contre nous.

– Tu es sûre que c'était elle ? Comment se serait-elle procuré cet uniforme ?

Avant qu'elle ait pu répondre, les haut-parleurs invitèrent les gens à s'écarter rapidement afin de laisser passer les secours.

Amy ne comprenait pas un traître mot des discussions autour d'elle, mais elle repéra un couple bardé d'appareils photo, portant lunettes de soleil et chemises hawaïennes.

– Des Américains ! Écoutons un peu…

Ils s'approchèrent et saisirent des bribes de conversation : le couple parlait de la femme sur la civière. Dan parut déconcerté.

– Elle a été graissée dans les toilettes femmes ?

– Agressée, corrigea Amy. Sans doute la responsable de la Japan Airlines. Irina a dû l'assommer et lui voler son uniforme.

– Waouh ! s'exclama-t-il, impressionné.

Amy jeta un coup d'œil vers la baie vitrée. L'avion se détournait lentement de la porte d'embarquement avant de s'engager sur le tarmac. Ça y est, il allait décoller.

– Mon Dieu, ils s'en vont !

– Où est la porte 4 ? On peut encore les rattraper !

– Comme tu le sens, Dan. Fais-toi broyer par les réacteurs de l'avion et, pendant qu'on ramassera tes restes éparpillés sur la piste, je prendrai un billet pour le vol suivant, répliqua sa sœur.

À travers la vitre, elle avisa les hublots gris et ternes de l'avion de la Japan Airlines. Derrière l'un d'eux se trouvait Nellie, seule entre les griffes des Kabpra.

Dan et Amy se dirigèrent vers le comptoir de la compagnie aérienne et se joignirent à la longue file d'attente.

Ils échangèrent un regard : chacun savait exactement ce que pensait l'autre. Dan soupira, abattu.

– Il n'y a pas que les sabres dans l'avion. Il y a aussi Saladin.

Amy dut se mordre les lèvres pour ne pas fondre en larmes, là, en plein milieu du terminal. Tout allait de travers. Comment allaient-ils pouvoir relever ce défi tout seuls ?

Les Kabra étaient richissimes et leurs parents les soutenaient. En outre, ils étaient de mèche avec Irina. Les Holt se serraient les coudes en famille. Quant à Jonah Wizard, chaque minute de son existence était planifiée par son père. Eux, ils étaient seuls. Ils n'avaient aucune chance de réussir.

Pour quelle raison Grace ne leur avait-elle pas parlé plus tôt de cette histoire, quand leurs parents étaient encore vivants ? Si seulement ils étaient encore là !

Toutes les nuits, Amy rêvait d'eux. De temps à autre, elle revoyait leurs visages souriants, confiants. Ils lui manquaient tellement !

– Amy ? fit Dan d'un air inquiet.

Soudain, elle vit son père dans les yeux de son crétin de frère. Il la regardait, comme s'il avait momentanément emprunté les traits de Dan. À ce moment-là, elle sut exactement ce qu'il convenait de faire.

Il y a un vol à 17 h 10, lut-elle sur le tableau des départs. Nellie est en danger, il faut faire vite.

– Holà, tout doux... tu ne capitules pas, à ce que je vois ! s'exclama-t-il en souriant. Bon, comment on va payer ?

TIOU TIOU TIOU !

Une sirène retentit dans le terminal, couvrant toutes les conversations. Finalement, une voix tendue résonna et annonça dans différentes langues :

– Mesdames et messieurs, le terminal devant être évacué pour raisons de sécurité, nous vous invitons à gagner immédiatement les sorties les plus proches...

Des cris s'élevèrent de toutes parts, puis les gens commencèrent à se bousculer. Amy fonça vers une porte en entraînant son frère. Des fragments de conversation lui parvinrent :

« Alerte à la bombe… », « Terroristes… », « Coup de fil anonyme… »

Malgré la pagaille, ils réussirent tant bien que mal à se frayer un passage vers l'extérieur.

Le ciel s'était obscurci, mais des phares d'automobiles brillaient dans la pénombre. Les trottoirs étaient envahis de passagers hurlant dans un téléphone portable ou se hâtant vers un taxi.

Dan et Amy se joignirent à un groupe qui s'apprêtait à monter dans un bus.

Malheureusement, la porte leur claqua au nez, et le véhicule démarra en pétaradant. Dan essaya de le rattraper en tapant à la vitre.

– Stop ! Pizza !

– Pizza ? répéta Amy, perplexe.

– Je ne connais pas 36 mots en italien, cria Dan. Spaghetti, Gucci, Ferrari…

Une limousine noire s'arrêta dans un crissement de pneus à quelques centimètres d'eux.

– Ferrari. Tu vois, je savais bien que ça marcherait.

La vitre teintée s'abaissa. Le chauffeur, lunettes noires et grosse moustache, leur fit signe de monter.

Entraînant son frère, Amy ouvrit la portière et s'engouffra à l'arrière.

Un homme, affolé, brandit une liasse de billets sous le nez du chauffeur en braillant :

– Eh ! Je peux payer ! Combien vous voulez pour m'emmener ?

Alors qu'ils refermaient la portière, trois personnes essayèrent de prendre la limousine d'assaut. Le chauffeur s'empressa de démarrer et de remonter sa vitre, manquant amputer l'homme aux billets.

– Merci ! haleta Dan. Ou *grazie*, je ne sais pas.

Juste à ce moment-là, Amy aperçut une personne dans le fond de la limousine. Un homme asiatique, costume de soie, gants blancs, chapeau melon, et sourire flegmatique.

– Ravi de vous revoir, mes chers et insaisissables neveux ! ronronna Alistair Oh.

3. La proposition d'Alistair

Gordon Oh, le père d'Alistair, aimait à répéter que les Oh étaient les champions de la surprise. Bien entendu, Alistair ne s'en souvenait pas personnellement, puisqu'il était mort très jeune. Mais c'était une constante familiale, chez les Oh, d'embellir la réalité grâce à de petites touches de fantaisie.

Alistair avait pensé que son intervention ravirait Dan et Amy. Malheureusement, il n'en était rien, et leur silence hostile l'embarrassait beaucoup.

Tandis que Serge, le chauffeur, slalomait pour forcer le passage entre les véhicules, les deux enfants étaient ballottés sur la banquette arrière.

Ils évitaient de frôler Alistair, et même de croiser son regard, comme s'il s'agissait d'une substance ignoble, du genre asperge bouillie. Il venait pourtant dc les tirer d'un fort mauvais pas. Il tenta de leur sourire pour les rassurer. Il était désolé pour eux, les pauvres, si jeunes, si vulnérables…

– Fous safez, hurla Serge pour se faire entendre malgré les klaxons, chai aussi enfants, oune fille quatorze et garçon onze, à Moscou.

L'air soucieux, Alistair observait Dan dont le teint était verdâtre. Pour la vingtième fois en deux minutes, le garçon actionna la poignée de la portière. Heureusement, le vieil homme s'était assuré qu'elle était verrouillée.

– Arrête, le pria-t-il, tu vas finir par avoir une crampe. En outre, c'est dangereux !

– Vous étiez donc derrière tout ça ! s'indigna Dan. C'est vous qui avez lancé l'alerte à la bombe. Maintenant, vous êtes allié avec les Kabra et Irina !

Alistair cilla. Il se doutait qu'il aurait du mal à gagner la confiance de ses neveux. Ils l'estimaient responsable de tout ce qui leur était arrivé et ils lui en voulaient à mort. C'est compréhensible. Le jour de la lecture du testament, il avait hélas été obligé de les abandonner dans le manoir en feu… mais, il regrettait amèrement cette maladresse.

– Crois-moi, mon cher neveu, je ne…

Dan planta ses yeux dans les siens.

– Vous croire ? Voyons voir, vous vous êtes enfui en nous laissant à la merci des flammes, vous avez implanté une puce électronique sur Saladin…

– Une puce électronique ? Tu parles de ça ? rétorqua Alistair en sortant de sa poche un bout de plastique de la taille d'une carte SIM. Je croyais que vous l'aviez cachée sur moi à Salzbourg, pendant que je m'étais assoupi.

– Vous l'aviez b-b-bien m-m-mérité, balbutia Amy. C'est vous qui l'avez posée en p-premier sur S-S-Saladin.

– Il n'en est rien, ma chère nièce, répondit-il chaleureusement. Il semblerait en effet que quelqu'un essaie de vous localiser, mais il ne s'agit pas de moi. Nous ne sommes pas les seuls à rechercher les 39 clés. En ce qui me concerne, je suis de votre côté. Comme vous le savez, je suis pour la coopération entre équipes.

– Ah, hilarant ! riposta Dan. Vous avez déjà pensé à passer sur la chaîne Comédie ?

Tout vient à point à qui sait attendre. Alistair posa ses mains gantées de blanc sur ses genoux.

– Bien, réfléchissons : qui vous a sauvés aujourd'hui ? Et qui s'est arrangé non seulement pour vous retrouver, mais aussi pour vous permettre de vous échapper ? De plus, je suis disposé à vous emmener où vous voulez en jet privé. L'unique chose que je vous demande en retour est votre destination. Ce qui, vu les circonstances, s'avère une nécessité.

– Vous avez un a-a-avion ? s'étonna Amy.

Il sourit modestement.

– Il ne m'appartient pas, mais je dispose d'un réseau de connaissances à qui je peux faire appel en cas d'urgence. Il y a tout de même quelques avantages à être l'inventeur des tacos micro-ondables.

– Nous en afons dans afion, avança Serge. Au bœuf, poulet, fromage…

Brave Serge. Il avait pu maintes fois vérifier la devise des Oh : « Micro-ondes rempli, jeunes estomacs ravis. »

La jeune fille soupira :

– Soit, mais une fois que nous serons dans l'avion, si jamais nous acceptons, quelle garantie avons-nous que…

– Amy ! protesta Dan. On ne marche pas avec vous, Goldfinger. On va se débrouiller seuls.

Sa sœur lui lança un regard furieux.

– Ah, d'accord, alors on va au Japon à la nage ? s'emporta-t-elle. Vous pouvez nous déposer devant un centre commercial ? Il faut que j'achète des palmes à réaction. Et un répulsif contre les requins blancs.

– Ça y est, tu lui as dit où on allait, soupira Dan.

– Tu crois qu'on a le choix ? Les Kabra ont Nellie, Saladin et les…

Elle laissa sa phrase en suspens, et Alistair l'encouragea à poursuivre.

– Les quoi ?

– Les b-b-bagages.

Il hocha la tête. Le Japon. Parfait. C'était donc là-bas que la clé suivante devait se trouver. Il se pencha vers son chauffeur :

– Le Japon, c'est possible, Serge ?

– Long voyage, répondit-il en haussant les épaules. Nous devons arrêter pour essence. À Moscou. Je appeler et vous rencontrer mes enfants, Kolya et Tinatchka.

Dan, furieux, fixa sa sœur. Elle avait failli lâcher le mot fatal : les sabres ! Heureusement, elle s'était arrêtée de justesse. Ils avaient déjà dévoilé leur destination à ce traître, elle n'allait pas en plus lui livrer leur indice sur un plateau !

Une lueur particulière, qu'il connaissait bien, animait maintenant le regard d'Amy. Ce n'était plus l'agacement du genre : « Sombre crétin, tes blagues sont trop nulles », mais carrément une menace : « Si tu fais un pas de travers, je te tue. » Et il pensait exactement la même chose.

Oncle Alistair tira de sa poche deux appareils électroniques qu'il tendit à ses neveux avec une gaieté forcée.

– Voici des GPS miniaturisés. Vous allez les insérer dans vos téléphones portables, comme je l'ai fait sur le mien. Je n'ai pas encore bien compris comment crypter le signal en 128 bits, mais l'encodage par défaut devrait être suffisant. De cette manière, nous ne risquerons pas de nous perdre une fois arrivés au Japon.

Serge montra un laissez-passer à un vigile posté devant une barrière, puis emprunta une route étroite menant à un minuscule aéroport. Il dépassa de petits engins à hélice avant de s'arrêter à proximité d'un vaste hangar. Là, il descendit d'un bond et ouvrit la porte aux passagers. Rayonnant, il désigna le hangar en annonçant :

– Dites bonjour à ma chère Ludmila !

– C'est votre troisième enfant ? demanda Dan, un peu perplexe.

L'endroit semblait désert, à l'exception de quelques jets et de mécaniciens mal rasés, dont la carrure ne rappelait en rien celle d'une Ludmila.

– Euh, où se trouve-t-elle ? interrogea doucement Amy.

Soudain, un appareil couleur argent aux lignes épurées roula lentement dans leur direction : un

Cessna. Ses vitres teintées, sa silhouette déliée et l'habitacle ouvert semblaient les inviter à monter à bord du vol le plus merveilleux de toute leur vie.

– Je vous présente Ludmila ! déclara Serge.

4. Nellie fait son numéro

Natalie se tortilla sur son minuscule siège. Comme c'était inconfortable ! À croire que les gens qui voyageaient en classe économique avaient des postérieurs moins sensibles que les autres.

Elle soupira. En plus, elle devait supporter sa voisine qui ne cessait de gesticuler.

Ce qui dérangeait Natalie, ce n'était pas tant le comportement de la baby-sitter – pourtant intolérable. Ni ses tatouages et son piercing – qui seraient sans nul doute un lourd handicap dans sa vie professionnelle future, si toutefois elle parvenait à trouver un emploi digne de ce nom.

Ni même la vulgarité dont Nellie avait fait preuve en les reconnaissant, elle et son frère. Vu les circonstances, Natalie ne s'attendait pas à des embrassades, mais les noms d'oiseaux qui avaient fusé étaient tout de même fort grossiers. Enfin... on ne pouvait guère espérer mieux d'une personne de son genre.

Non, le pire pour Natalie, c'est qu'il s'agissait d'une véritable souillon. Autour de son siège, le sol était jonché de papiers de bonbons et de miettes de chips, et son sac à dos, au lieu d'être soigneusement rangé sous le siège de devant, n'était qu'un tas informe à ses pieds. Elle enfournait de pleines poignées de biscuits à apéritif tout en continuant à parler. C'était abominable. Comme disait un vieux proverbe Kabra : *Négligence est mère de grossièreté*. Ou bien avait-elle lu ça dans leur dictionnaire des citations ? Natalie grimaça de dégoût en voyant la baby-sitter parler la bouche pleine.

– Chuidzolée, méjmefich deskevouraconté. Vouzalé pavouzentiré komsa, marmonna Nellie en projetant une pluie de chips et de cacahuètes alentour.

Ian ôta une miette de sa chevelure noir de jais parfaitement peignée.

– Pouvez-vous avaler avant de répéter, s'il vous plaît ?

Nellie s'exécuta :

– Je suis désolée, mais je me fiche de ce que vous racontez. Vous n'allez pas vous en tirer comme ça.

Ian regarda par-dessus son épaule l'avion plein à craquer.

– Ah bon ? Vous croyez que quelqu'un va venir à votre secours ? Amusant, n'est-ce pas, Natalie ?

– Enfin, c'est pourtant simple, il vous suffit de répondre à une seule question, et tout se passera bien, assura cette dernière.

Ils la lui avaient déjà posée à maintes reprises, et chaque réponse avait été plus impertinente que la précédente. Mais cette idiote finirait sûrement par comprendre où était son intérêt. Sinon, ils avaient d'autres moyens de la faire parler.

– Bien, pour la dernière fois, pour quelle raison vous rendez-vous au Japon ? reprit Natalie.

D'un filet fixé au siège, devant elle, Nellie tira un magazine envoyant involontairement une paire d'écouteurs et des mouchoirs sales sur Ian. Ce dernier les esquiva avec un petit mouvement de dégoût.

– Parce que je suis dingue de sudoku et que les meilleures grilles se trouvent dans les revues de la Japan Airlines, mon pote.

– Café, thé, biscuits à apéritif : que puis-je vous offrir pour agrémenter votre voyage ? demanda une hôtesse en remontant lentement l'allée centrale.

– Un Coca light et un coup de main pour me débarrasser de ces deux casse-pieds, s'il vous plaît, répondit Nellie. Ils ne sont pas censés occuper ces sièges et ils me harcèlent depuis des heures.

Ian eut un rire forcé.

– Ha ha, chère cousine, tu me feras toujours mourir de rire. Quel humour ! Tu ne trouves pas, euh, Amy ? fit-il en se tournant vers sa sœur.

– Oui, Daniel, tout à fait, répliqua Natalie.

– Oh, votre petit numéro est très convaincant ! railla Nellie. Y a-t-il un policier à bord, mademoiselle ? Je veux déposer une plainte afin de les faire arrêter. Vous pouvez faire ça en vol ?

Avec un sourire un peu embarrassé, l'hôtesse de la Japan Airlines déposa un soda sur la tablette de la jeune fille. Natalie porta discrètement son doigt contre sa tempe pour indiquer que sa pauvre cousine n'avait pas toutes ses facultés mentales.

Par le hublot, on pouvait voir des éclairs, et l'avion se mit à faire de brusques embardées.

– Mesdames et messieurs, il semble que nous traversions une zone de turbulences…, annonça le pilote.

L'hôtesse poussa son chariot tout au bout de l'allée centrale, puis demanda aux passagers de redresser leurs sièges.

Ian gémit :

– Je… je ne me sens pas bien…

Tandis qu'il se ratatinait sur son siège, livide, Nellie commença à s'inquiéter.

Natalie sourit. Avec son frère, ils avaient convenu de signaux correspondant à des actions précises : elle savait donc exactement ce qu'elle devait faire.

Malgré tout, elle avait pitié de cette pauvre Nellie. Cette petite effrontée, quoiqu'un peu vulgaire, avait tout de même du cran et de l'humour. En d'autres temps, sous d'autres cieux, elle aurait pu faire une bonne employée au service des Kabra.

– Hé, j'espère que vous n'allez pas être malade ! s'indigna la jeune fille au pair. Parce que je ne supporte pas l'odeur du vomi.

Elle se pencha pour ratisser les détritus à la recherche d'un sachet en papier spécial nausée.

C'était le moment ou jamais. Natalie en profita pour sortir de sa poche une petite fiole contenant un liquide sombre. Deux gouttes devraient amplement suffire.

À ce moment-là, les turbulences ébranlèrent à nouveau l'avion, et elle tressauta : la fiole entière se déversa dans la cannette de Nellie. Aïe !

Dan fut tiré du sommeil par la sonnerie d'un portable. La première chose qu'il remarqua fut la main d'Amy, crispée sur l'accoudoir.

– Je ne comprends pas comment tu peux arriver à dormir…, siffla-t-elle, les dents serrées.

Le petit avion vira brusquement à gauche, lui arrachant un cri.

– Génial ! s'exclama Dan. Tu peux recommencer, Serge ?

– Ça t'a plu ? demanda le pilote en riant.

– Non ! protesta Amy.

Alistair avait du mal à entendre son interlocuteur.

– Qui est à l'appareil ? cria-t-il dans le téléphone en faisant signe aux autres de se taire. C'est Irina ?

Amy fit la grimace.

– Oui, ils sont avec moi, sains et saufs… Que dites-vous ? Au Japon ?

Il éclata de rire.

– Oh, ma chère, vous n'aviez pas compris que Dan et Amy avaient fait exprès de laisser les Kabra leur dérober leurs billets… oui, oui, ils ont intentionnellement mis leur baby-sitter dans l'avion pour servir de leurre… Ah, oui, c'est culotté… non, non, non, Irina… Comment ? Vous devez raccrocher ? Vous avez entendu ? Oui, DAN ET AMY VONT

AU JAPON. C'EST EXACTEMENT ÇA. Au revoir, ma chère.

– Heu… que se passe-t-il ? interrogea Dan.

Alistair sourit.

– Je connais bien Irina. Pour le moment, elle est persuadée que vous avez joué un tour aux Kabra, et pas l'inverse. Alors faites-moi confiance, elle n'est pas près de croire que nous allons au Japon.

– Attendez, vous pensez vraiment l'avoir convaincue ? demanda Dan. Sans vouloir vous offenser, je vous ai trouvé assez peu crédible.

– Je ne suis peut-être pas bon acteur, mais je suis assez fin psychologue, riposta Alistair. Et je sais exactement comment fonctionne Irina Spasky.

Amy se tourna vers son oncle, blanche comme un linge. C'était un homme fort intelligent, mais il était tout de même un peu vieux jeu. Et surtout, il avait négligé un point absolument crucial.

– Si j'étais vous… je ne serais pas aussi catégorique…, articula-t-elle.

Pendant ce temps-là, le pilote d'un petit jet demanda en russe l'autorisation d'atterrir et l'obtint immédiatement. Virant à droite, l'avion amorça sa descente vers un aéroport des environs de Moscou.

La piste d'atterrissage, d'un gris fantomatique, tranchait sur le paysage sec et aride. Lorsque les roues de l'avion se posèrent sur le tarmac, l'unique passagère agrippa les accoudoirs de son siège de toutes ses forces : elle ne s'habituait pas à ces atterrissages mouvementés.

Le jet ralentit, et elle aperçut par le hublot l'élégant Cessna couleur argent qui faisait le plein. C'était vraiment un bel engin.

– Arrêtez-vous, ordonna Irina au pilote.

Elle venait d'apercevoir le vieil homme qui marchait en s'aidant de sa canne. Comme toujours, il était vêtu d'un costume parfaitement coupé. Son chapeau melon et ses lunettes noires ajoutaient au raffinement de l'ensemble. En matière de mode, Irina ne goûtait guère la fantaisie. Elle avait une prédilection pour le style sobre et classique. Les vêtements de l'homme paraissaient un peu étriqués, mais c'était compréhensible : le stress faisait souvent prendre un peu de poids.

Puis les petits Cahill apparurent, méchamment fagotés. Ces deux-là avaient encore trouvé un protecteur : après la grand-mère, c'était l'oncle. Irina n'arrivait pas à comprendre ce qui avait poussé Alistair à se rallier à eux. Un jour, il faudrait bien qu'il en revienne.

« Ils te rouleront, mon pauvre, à moins que ce ne soit toi qui les trahisses en premier. »

Malgré la fatigue du voyage, Irina sourit, revigorée par cette pensée. Elle se souvint de ses années passées au service du KGB. En ce temps-là, la trahison prenait des formes variées : chantage, mensonges, lenteurs bureaucratiques ou journalistes véreux.

« Faire équipe, mais quelle idée ! », songea-t-elle. La coopération n'était d'aucune utilité pour découvrir les 39 clés. Avec un tel enjeu, les inévitables jalousies rendaient toute alliance improbable. Irina était bien décidée à travailler en solitaire. Pas question de marcher avec de riches héritiers désœuvrés, un magnat des tacos sur le retour ou bien des orphelins larmoyants. Pour ces amateurs, cette quête n'était qu'un jeu exaltant. Mais pas pour elle. Le butin devait lui revenir à elle, qui avait tout perdu, la louve solitaire qui réclamait justice et vengeance.

Elle vit le trio remonter dans le Cessna. Irina se pencha pour observer son téléphone portable, qui affichait encore les coordonnées GPS de son dernier interlocuteur : Alistair Oh.

– Ah vraiment, Alistair, soupira-t-elle, quelle délicate attention de me faciliter ainsi la tâche...

– *Shto*[1] ?

---

1. « Quoi » en russe (NDT).

– Suivez-les, Alexander.

Il poussa les gaz, et le moteur de l'avion commença à ronronner. Un peu plus loin devant eux, le Cessna se mettait en position pour le décollage.

Elle allait bien voir s'il disait la vérité. Elle sourit, satisfaite. Personne ne roulait Irina Spasky.

5. Recherches à Tokyo

Lorsqu'il se retrouvait en terrain inconnu, Dan ne pouvait s'empêcher de faire l'intéressant pour se détendre un peu. Ce qui ne manqua pas de se produire à l'hôtel, dès le lendemain de leur arrivée à Tokyo.

– Dan, c'est du vol ! protesta Amy, alors qu'il glissait un cendrier dans la poche arrière de son pantalon.

– Bah, ils ne s'en apercevront même pas ! Et puis j'en ai besoin pour ma collection.

Dan était un collectionneur invétéré. De tout, pourvu que ça rentre dans une maison et que ce ne soit pas rivé au sol.

– Ta sœur a raison, approuva sévèrement Alistair en s'appuyant sur sa canne.

Il sentait la poudre et l'après-rasage. Il s'était arrêté en venant de l'aéroport afin d'acheter aux enfants des vêtements de rechange, puis avait insisté pour qu'ils se reposent et prennent un bain.

Amy n'avait pas fermé l'œil une seule seconde. Pour deux raisons : d'abord, elle était beaucoup trop nerveuse. Ensuite, Dan ne cessait de murmurer « mrraow » dans son sommeil : Saladin commençait à lui manquer.

Il n'avait pas pour autant perdu ses mauvaises habitudes. Amy tendit la main, paume ouverte, et Dan finit par y déposer le cendrier à contrecœur.

– Bon, d'accord, mais alors tu veux bien demander une pochette d'allumettes de l'hôtel « Merci Infiniment » pour moi ?

Talonnée par son frère, Amy retourna poser le cendrier sur une table du hall. Comme le véritable nom de l'hôtel était imprononçable, ils lui avaient trouvé un surnom très spirituel, en référence à l'unique phrase que le personnel leur adressait. Amy prit une pochette d'allumettes sur le comptoir en souriant au réceptionniste.

– Merci infiniment, lui dit-il.

Tandis qu'ils se dirigeaient vers la porte d'entrée sur les pas de leur oncle, Dan chuchota :

– Allez, on file ? Il faut qu'on cherche Nellie et Saladin.

– Tu es fou ? murmura Amy. Oncle Alistair a déjà payé la chambre. De plus, il parle japonais et il va nous aider à nous repérer dans la ville.

– Ça y est, il t'a ensorcelée, constata-t-il, horrifié. Il te manipule !

– Non, je n'ai aucune confiance en lui, mais sans adulte, on est coincés, Dan. Il faut faire semblant, au moins jusqu'à ce que Nellie nous retrouve.

– Ou que nous la retrouvions ! bougonna-t-il tandis qu'ils rejoignaient leur oncle dehors.

Le temps était frais et ensoleillé. Sur le trottoir de gauche, des comédiens déguisés en personnages de mangas saluaient les clients à l'entrée d'un centre commercial clinquant. En face, un parfum fleuri inhabituel montait d'un grand espace vert, le parc Shiba. La chaussée très passante était encombrée de vélos et d'automobiles. Amy trouvait que Tokyo ressemblait beaucoup à New York, à la différence que les gens y étaient plus calmes et silencieux.

Le regard de Dan fut attiré par une structure métallique dominant le parc.

– Trop fort, ils ont importé la tour Eiffel et ils l'ont peinte en rouge et blanc !

Sa naïveté fit sourire Alistair.

– La tour de Tokyo est plus haute que son homologue parisienne, mais elle est également plus légère, grâce aux progrès qui ont été réalisés en ingénierie des structures métalliques, expliqua-t-il. Progrès dûs, je précise, à un membre de mon illustre famille, les Ekaterina. Et regardez ce grand immeuble circulaire : il évoque les magnifiques fleurs japonaises du parc Shiba. C'est une trouvaille d'un architecte Janus…

– Quoi ? Il y a des fleurs en métal dans ce parc ? s'étonna Dan.

– Moi, je connais quelqu'un qui a le cerveau rouillé, oui, rétorqua Amy en se tournant vers Alis-

tair. Comment se fait-il que vous connaissiez aussi bien les différents clans Cahill ?

– Un jour, il faudra que je vous montre ma collection, répondit Alistair. Mais revenons à nos moutons : la Bibliothèque nationale se trouve à dix minutes en taxi.

– Encore une bibliothèque ! Waouh, super ! marmonna Dan en tripotant sa pochette d'allumettes d'un air absent. J'ai une idée : vous, vous allez vous plonger dans les bouquins. Moi, je vais chercher des sushis au merlan et, ensuite, je file à l'aéroport. On se retrouve plus tard.

– Qu'est-ce qui te dit que Saladin est à l'aéroport ?

– De deux choses l'une : soit les Kabra ont fait un lavage de cerveau à Nellie et ils la baladent comme un petit chien dans Tokyo. Soit Nellie a réussi à les amadouer en utilisant les techniques d'entraînement ninja que je lui ai transmises par télépathie à son insu. En fait, je penche pour la première hypothèse. Dans les deux cas, Saladin...

Le visage de Dan s'assombrit.

– Je n'arrête pas de penser à lui et de le revoir, tout seul dans sa cage sur le tapis roulant...

– Je sais à quel point tu es attaché à ce chat, le consola Alistair, mais tu dois d'abord penser à toi. Les Kabra savent que vous êtes ici. Ils s'attendent à ce que vous vous rendiez à l'aéroport pour chercher votre matou bien-aimé et votre nounou...

– Notre jeune fille au pair, le corrigea Dan.

– Ils risquent de vous tendre un piège, poursuivit Alistair.

Comme son frère, Amy était très contrariée d'ignorer où étaient Nellie et Saladin. Depuis leur arrivée, elle avait déjà essayé plusieurs fois de joindre la jeune fille sur son portable, sans succès. Cependant, leur oncle avait sûrement raison.

– Connaissant Ian et Natalie, ils ne vont pas tarder à nous localiser, assura-t-elle en suivant Alistair dans la rue bondée.

– Mais…, s'insurgea Dan.

– Il faut qu'on avance, le coupa-t-elle. De toute manière, Nellie retombera toujours sur ses pieds.

Il poussa un grand soupir.

– Saladin aussi, je suppose, enfin sur ses pattes, puisque c'est un chat…

En attendant le taxi, Dan ne cessait de craquer des allumettes puis de souffler dessus pour les éteindre.

– Tu veux bien arrêter ? lui demanda Amy, agacée.

– Pourquoi ? C'est rigolo. Et puis ça me change les idées. Parce que là, je me dis qu'on est en train de laisser tomber les deux seules personnes auxquelles on tient vraiment. Et en plus, alors qu'on est au pays des ninjas, de Mothra[1] et des arts martiaux, on va encore passer la journée à la bibliothèque.

Un véhicule approcha de la station et Alistair, après avoir rapidement donné ses instructions au chauffeur dans un japonais parfait, fit signe à ses neveux de monter.

Ils filèrent à vive allure, longeant des kilomètres de bâtiments modernes qui alternaient parfois avec des pagodes à l'ancienne entourées de jardins.

---

1. Mothra, monstre bienveillant défenseur de la Terre, est un personnage célèbre des films d'animation japonais (NDT).

– Et pourquoi on ne logerait pas plutôt dans une de ces maisons ? interrogea Dan.

– Ce sont d'anciens temples, précisa Alistair. Nous allons en voir de plus en plus sur la route. Autrefois, le gouverneur militaire, le shogun, a ordonné que tous les temples soient rassemblés au même endroit. En ce temps-là, le quartier de Roppongi était un faubourg éloigné de la capitale qui s'appelait alors Edo. Une partie de ce secteur servait aussi de terrain de chasse au shogunat.

– C'est fascinant ! s'extasia Amy.

Elle adorait connaître l'histoire des villes. Son frère hocha la tête distraitement en regardant par la fenêtre d'un air morne.

– Tiens, je viens de voir passer Pikachu ! ironisa-t-il.

Le portable d'Alistair sonna.

– Oui, bonjour ? Oui… Ah, bravo, Serge. Elle a quoi ? Eh bien, ça alors ! Ha ! ha ! Parfait. Je te remercie infiniment. *Da. Do svidanya*[1].

Il rangea son téléphone avant de se tourner vers Dan et Amy.

– Serge est bien arrivé en Sibérie avec ses enfants. Irina est tombée dans le panneau : elle les a pris

_____

1. « Oui » et « Au revoir » en russe (NDT).

pour nous. Et lorsqu'elle a compris qu'on l'avait bernée, elle s'est mise à jurer comme un charretier, à tel point que même Serge était choqué.

– Génial ! s'écria Dan, enthousiaste, en tapant dans la main de sa sœur et de son oncle.

– Je te dois une fière chandelle, Amy, avoua Alistair. Je n'avais pas imaginé qu'elle pourrait nous localiser grâce aux GPS des téléphones portables.

– Moi, j'y ai pensé tout de suite, confessa Dan d'un ton modeste. Mais je n'ai pas osé le dire.

Amy leva les yeux au ciel.

– Et moi, je suis la reine d'Angleterre !

– Tout à fait, tu es abominablement ennuyeuse et toute ridée, approuva son frère.

Le taxi s'arrêta bientôt devant un bâtiment imposant, très design, bordé d'un parc luxuriant.

– *Arisugawanomiya !* annonça le chauffeur.

– Qu'est-ce que j'ai encore fait ? paniqua Dan.

– C'est le nom du parc, le rassura Alistair en payant la course. Et voici le bâtiment principal de la Bibliothèque nationale.

Il descendit du véhicule et poursuivit :

– Le temps est compté : Irina ne va pas tarder à nous retrouver. Et comme nous n'avons pas réactivé nos GPS, il faut absolument que nous restions ensemble. Et que nous mettions nos téléphones sur

59

vibreur pendant que nous sommes dans la bibliothèque.

– Oh, je meurs d'impatience, articula Dan d'une voix monocorde.

Lorsqu'ils pénétrèrent dans le bâtiment, une bibliothécaire jeune et svelte vint les accueillir. Elle s'inclina et s'adressa à Alistair en japonais. Puis elle sourit aux enfants, avant de leur faire signe de la suivre.

– Vous la connaissez ? chuchota Dan alors qu'ils gravissaient un grand escalier de marbre. Vous avez fait des parties de chasse en compagnie du shogun, c'est ça ?

– Mais non, elle est tout simplement courtoise, répondit Alistair, par respect pour mon âge. Quoique… peut-être se souvient-elle m'avoir vu à la télévision, il y a une dizaine d'années ? À cette époque, mes tacos Subtile Saveur Sushi se vendaient comme des petits pains par ici.

Ils entrèrent dans une pièce tapissée d'étagères. Sur l'un des murs, des fenêtres jumelles donnaient sur la rue et, au centre, deux rangées d'ordinateurs attendaient les utilisateurs.

Mme Nakamura, la bibliothécaire, se tourna vers eux et reprit dans leur langue, avec un léger accent :

– Je me tiens à votre disposition.

Après avoir échangé encore quelques courbettes avec Alistair, elle sortit en fermant la porte.

– Je lui ai raconté que nous faisions des recherches pour un site web interactif présentant mes futures garnitures de tacos, leur expliqua-t-il. Maintenant, j'aimerais savoir ce que nous faisons réellement ici.

Amy lança à Dan un regard furtif. Leur oncle leur avait déjà posé la question et, à chaque fois, ils avaient réussi à l'éluder. Il sentait qu'ils manigançaient quelque chose.

Il ne savait pas qu'ils avaient trouvé les sabres. Il ignorait qu'un message secret était gravé sur l'une des lames et ne pouvait se douter que la seconde clé était le tungstène.

« Nous avons un train d'avance sur lui », pensa Amy.

Le sulfate de fer, qui entrait dans la composition de l'encre, et le tungstène, utilisé pour les filaments d'ampoules à incandescence, faisaient partie du puzzle. Mais quel lien existait donc entre les deux ? Ils avaient encore tellement de choses à découvrir ! À l'heure qu'il était, une chose était claire : d'une manière ou d'une autre, les sabres les mèneraient à la prochaine clé. Leur oncle pouvait peut-être les aider à éclaircir ce mystère, mais il risquait aussi de se volatiliser dès qu'il aurait l'information, comme chez Grace. Chaque fois qu'Amy et Dan avaient oublié leur principale devise – ne faire confiance à personne –, ils l'avaient amèrement regretté. Et ils ne tenaient pas à renouveler l'expérience.

– Eh bien, il y avait un message…, mentit Dan, un message secret, dans la musique de Mozart, qui disait euh… d'aller au Japon. C'est tout ce que nous savons.

Alistair haussa les épaules et s'assit devant un ordinateur.

– Effectivement, ça ne nous aide pas beaucoup, mais ça ne va pas nous empêcher de continuer. Bon, je propose que chacun travaille de son côté et que nous mettions ensuite en commun le fruit de notre enquête.

Amy et Dan prirent soin de choisir leurs postes de telle manière qu'Alistair ne puisse pas voir leurs écrans. Dans le moteur de recherche, Amy entra les termes suivants :

sabre tungstène Japon

– Plus de 12 000 résultats. Ça va être une longue journée, soupira-t-elle.

Dan, de son côté, tapa :

image guerrier ninja

Plus de 50 000 résultats. Il sourit. Finalement, il n'allait peut-être pas s'ennuyer autant qu'il le craignait.

Le moteur de recherche affichait une traduction approximative du contenu du site :

Dans l'antique Japon, les peintures corporelles
et les tatouages étaient réservés
pour esclaves et prisonniers.
Certains des modèles présentés
sont reproduction des anciens tatouages,
dessinés par des nôtres artistes chercheurs en histoire.

Il fit défiler la page. Les images étaient beaucoup plus parlantes que le texte. Certains tatouages recouvraient le dos entier d'une personne. Il y en avait des dizaines, vraiment étonnants : des dragons, des scènes historiques ou des paysages, des spirales...

Il s'arrêta, car un détail avait attiré son regard. Il cliqua pour passer en plein écran.

– Dan, on peut savoir ce que tu fabriques au juste ? lui demanda sa sœur en jetant un œil par-dessus son épaule.

– T'as vu ça, c'est super !

Elle soupira, exaspérée.

– On est censés localiser notre indice !

– Oh, excuse-moi, Agatha Christie, mais regarde un peu ces caractères : ce sont exactement les mêmes que sur le sabre !

Il plaqua la main sur sa bouche, mais trop tard. Il avait prononcé LE mot.

Amy lui lança un regard assassin. Quel crétin ! Ils fixèrent Alistair, qui prenait attentivement des notes sur ce qu'il lisait à l'écran. Tout à coup, il releva la tête : il était blême.

– Tout va bien, oncle Alistair ? s'inquiéta Dan.

Ce dernier ne répondit pas tout de suite. Il ôta ses lunettes et les essuya avec un mouchoir.

– Oui, oui, ça va. Ça fatigue les yeux de rester longtemps devant l'ordinateur quand on devient vieux. Pardon. Eh bien, avez-vous trouvé quelque chose ?

– Oui, déclara Dan.

– Non, le contredit Amy.

– Oui et non, tenta de clarifier son frère. Et vous ?

Alistair hocha la tête, l'air absent.

– Venez voir par ici.

Les enfants quittèrent leurs postes pour se rapprocher de leur oncle. Ce dernier réduisit sa fenêtre d'e-mail afin de leur montrer un tableau : un guerrier japonais à l'air féroce, brandissant une tête coupée.

– Pouah…, chuchota Amy.

– Chochotte, ce ne sont que des pixels, se moqua Dan. Mais quand même, beurk !

– Il s'agit de… du Rat chauve, bredouilla Alistair, d'une voix mal assurée. Aussi connu sous le nom de Toyotomi Hideyoshi.

– Hideshiquoi ? interrogea Dan.

– Hideyoshi est l'un des plus grands guerriers de l'histoire du Japon, poursuivit Alistair, mais il était particulièrement laid. Il a vécu au XVIe siècle. Simple paysan, il a accédé au pouvoir en prenant les rênes des différentes factions ennemies du pays pour les unir.

Il marqua une pause et ajouta à voix basse :

– C'était aussi un Cahill…

– J'avais remarqué la ressemblance avec Amy, prétendit Dan.

– … enfin, un Tomas, plus précisément. Un descendant de Thomas Cahill, venu en Extrême-Orient pour faire du commerce. Certains disent qu'en réalité, il se cachait, déshonoré de n'avoir pu retrouver sa sœur rebelle. En tout cas, il s'est installé au Japon et a fondé le clan des Tomas, célèbre pour ses faits d'armes et sa cruauté.

Dan regarda l'image de plus près.

– C'est drôle, les Holt sont des Tomas et ce sont des monstres à cervelle de dinosaure. Alors que ce Toyotatami ressemble plutôt à une fouine.

– Tout de même, intervint Amy, on voit bien que c'est un Tomas. Regarde son allure, son air rustre et la puissance qu'il dégage.

– Oui, je suis bien d'accord, ce sont tous des brutes épaisses.

Un demi-sourire apparut progressivement sur le visage d'Alistair.

– Évidemment, en tant qu'Ekaterina, je suis mauvais juge. Quoi qu'il en soit, je pense réellement que nous devons commencer par chercher du côté de Hideyoshi. Selon la légende, c'était un homme énigmatique. Ses trop nombreux secrets auraient causé sa perte.

– Faire des mystères, c'est notre seconde nature à nous, les Cahill, déclara Dan.

Alistair releva la tête pour regarder ses neveux. Il reprenait peu à peu des couleurs.

– J'ai bien failli faire cette recherche sur Hideyoshi en solo et garder tout ça pour moi. Vous comprenez, après ce qui s'est passé à Salzbourg, je n'étais pas certain de pouvoir me fier à vous.

– Eh bien, comme ça, on est deux, s'écria Dan.

– Non, trois, corrigea Amy.

Hésitante, elle jeta un rapide coup d'œil à son frère avant d'ajouter :

– Nous non plus, oncle Alistair, nous ne pensions pas pouvoir compter sur vous.

Celui-ci hocha la tête.

– Je m'emploie à regagner cette confiance fragile, tellement difficile à obtenir et si aisément perdue. La confiance ne se marchande pas : on ne peut l'obtenir en retour que si on l'accorde spontanément.

Il fixa ses neveux l'un après l'autre.

– L'un de nous doit faire le premier pas, et c'est moi qui vais le faire, car vous le méritez.

Il consulta de nouveau son écran.

– Hideyoshi était un peu paranoïaque et c'était un grand collectionneur, poursuivit-il en faisant défiler la page. Par exemple, en 1588, il a lancé la grande chasse aux sabres : tous les fermiers et les paysans ont dû lui remettre leurs armes. Il a prétendu qu'il voulait fondre le métal pour ériger une grande statue de Bouddha, mais c'était un pur mensonge.

– Qu'est-ce qu'il en a fait, alors ?

Alistair haussa les épaules.

– Ça reste un mystère. Il a également édicté des lois afin d'empêcher ces mêmes fermiers d'accéder à la caste des guerriers. Il semblait redouter que cela n'arrive.

Pourtant, lui-même était issu de la classe paysanne, objecta Amy.

– Tu dois penser comme un guerrier, Amy-san[1], lui conseilla Dan. Comme il venait justement d'en bas, il savait qu'un autre pourrait faire de même et l'évincer.

Alistair acquiesça.

– Il devait également craindre qu'il y ait des descendants des Tomas, ou pire des Ekaterina, dans les provinces. Déjà, à l'époque, ces deux clans étaient rivaux. Peut-être voulait-il priver les Ekaterina d'armes pour les empêcher de se soulever contre lui ? Mystère… Si seulement on savait où sont cachés les sabres, on comprendrait peut-être ses raisons, conclut leur oncle en haussant les épaules. Enfin, je vous ai tout dit.

Dan observa sa sœur. La balle était maintenant dans leur camp.

« Il nous a dévoilé ses secrets, c'est à notre tour », constata-t-elle en le regardant.

« Oui, mais il était en train de consulter sa messagerie et ça, il a omis de nous en parler », riposta silencieusement son frère.

Elle rétorqua :

« Ça n'a rien à voir. Et puis, on a besoin de lui. »

_____

1. En japonais, on met le suffixe « -san » derrière les noms. Ici, il peut se traduire par « mademoiselle Amy » (NDT).

« À part son fric et le fait qu'il parle japonais, je ne vois pas en quoi il nous est utile. »

« Si l'on excepte le lobe de ton oreille gauche, qui est magnifique, je ne vois vraiment pas en quoi tu m'es utile. »

Il lui lança un regard noir et décida :

« Comme c'est toi la plus vieille, c'est toi qui parles. »

Amy s'adressa à Alistair.

– Nous... nous avons trouvé des sabres... À Venise.

– Des armes de Hideyoshi, en Italie ? fit Alistair, dérouté.

Dan soupira avant de marmonner :

– Bon, elles se trouvaient chez un type italien, un certain Fidelio Racco.

– Ah, Racco... un Janus. Mais c'est un peu bizarre, parce que la clé nous oriente plutôt vers un fief des Tomas. Ici, au Japon, on raconte que Hideyoshi possédait des caches secrètes, et il semblerait qu'elles soient gardées par ses descendants. Or bon nombre d'entre eux sont des yakuzas.

Dan sourit.

– Waouh... génial ! Je les ai déjà battus dans le jeu vidéo *Ninja Gaiden*, au niveau 4, je crois. Ces types sont de vrais gangsters, complètement givrés.

Prêts à vous couper le bras pour vous le faire bouffer !

– Charmant, marmonna sa sœur.

– On a emporté les sabres avec nous, reprit Dan. Ils sont dans mon sac de voyage. Et sur l'un d'eux, il y a une inscription qui peut sans doute nous fournir un indice menant à la prochaine clé.

– Mais comment les récupérer, maintenant ? demanda Alistair, les yeux écarquillés.

– Eh bien, ce n'est peut-être pas nécessaire, annonça le garçon en désignant son écran du menton. Je viens de retrouver les mêmes caractères sur un tatouage.

Il n'avait jamais vu Alistair se mouvoir aussi rapidement. Sans même prendre sa canne, il se rua sur l'ordinateur de son neveu et loucha sur l'image.

– Tu es bien certain qu'il s'agissait des mêmes caractères sur le sabre ?

– Ouais, enfin presque. Il y en avait d'autres, qui ne sont pas reproduits ici.

Amy secoua la tête en soupirant :

– Comment peux-tu en être sûr alors que tu ne parles pas un mot de japonais ?

– Certes, ma chère sœur, tout comme je ne lis pas la musique. Mais qui a réussi à mémoriser un morceau entier de Mozart ? Qui a trouvé la dernière clé ? Voyons, voyons, que je me souvienne... Oh ! mais c'était moi !!

– Tu es formel, Dan, il manque des caractères ? reprit Alistair. Parce que, tel qu'il est, le message est tout à fait banal : c'est une incantation à la chance, l'honneur et la victoire.

– Oui, oui, j'en suis certain. Au début de chaque ligne, il y avait une lettre d'une forme curieuse. Comme si elle provenait d'une autre langue. Je ne sais pas, c'était peut-être du sanscript.

– On dit SANSCRIT, sombre crétin, corrigea Amy en se rasseyant devant son ordinateur.

Elle se tourna vers son oncle, qui tapait frénétiquement sur son clavier.

– Qu'est-ce que vous savez sur les yakuzas, oncle Alistair ?

– Ils sont extrêmement violents et impitoyables, répondit-il avec un frisson. Croyez-moi, mieux vaut ne pas se mettre en travers de leur chemin.

– Vous en avez déjà croisé ? demanda Dan.

– Oui, ils me méprisent parce que je suis un Ekaterina. Or ce sont des Tomas, nos rivaux depuis des siècles. On a longtemps suspecté que les yakuzas possédaient un plan indiquant l'emplacement d'une crypte secrète. Et si j'en crois le message que je viens de recevoir, on pourrait en avoir trouvé une copie.

Il s'empressa d'imprimer une carte ancienne sur laquelle figurait un enchevêtrement de tunnels.

– Génial ! s'exclama Dan.

– Ça fait longtemps que vous le savez ? interrogea Amy.

Alistair secoua la tête ; il blêmit de nouveau.

– Voilà bien longtemps que j'ai commencé à rechercher des… des documents qui ont été volés aux… Ekaterina. Il se trouve que l'un de mes collègues est tombé sur quelque chose et, lorsque nous étions à Salzbourg, il m'a envoyé un e-mail en joignant plusieurs documents, dont cette carte.

Il leur montra la page qui portait la mention : « signification inconnue ».

– Attendez, ce sont des documents qui appartenaient aux Ekaterina ? Et vous avez des « collègues » ? Qu'est-ce que vous nous cachez encore ? Comment voulez-vous…

Elle s'arrêta au milieu de sa phrase et regarda l'écran de son frère : le curseur venait de bouger dans le coin en haut à gauche.

– Dan, arrête un peu, soupira-t-elle.

– Arrête quoi ?

– Je sais que tu t'ennuies comme un rat mort, mais tu pourrais au moins essayer de te concentrer une minute. Tu es en train de faire le pitre, là. Je suis sûre que tu as un appareil dans ta poche pour faire bouger le curseur à distance.

Le curseur venait en effet de se positionner sur le bouton retour et faisait rapidement défiler les sites qu'il avait visités : les tatouages, Hideyoshi, la grande chasse aux sabres, les pages Facebook de plusieurs filles de sixième…

– Hé ! s'écria Dan.

– C'est un pirate, s'exclama Alistair. Quelqu'un s'est introduit à distance dans l'ordinateur et cherche à savoir tout ce que tu as regardé aujourd'hui.

Il tira d'un coup sec sur le câble d'alimentation électrique, et l'écran s'éteignit. Une alarme se déclencha, et, sur un panneau à cristaux liquides près de l'interrupteur de la pièce, des caractères japonais clignotèrent en rouge.

– Mais comment peut-on faire ça ? demanda Amy.

Dan examina l'ordinateur.

– C'est une connexion Wi-Fi, affirma-t-il. Ce qui veut dire qu'ils ne doivent pas être loin, peut-être à trente mètres, ou cinquante s'ils ont un amplificateur de signal ou quelque chose du genre.

Alistair s'approcha de la fenêtre.

– Donc ils sont soit dans la bibliothèque, soit dans une de ces voitures dehors.

Le problème, c'est qu'il y en avait tout le long du trottoir, dans le parking et pare-choc contre pare-choc sur la chaussée.

Toc toc toc !

Tous sursautèrent en entendant frapper.

– Excusez-moi, tout va bien ? demanda une voix timide.

Sans doute Mme Nakamura, bien que son intonation soit légèrement différente.

Alistair se dirigea vers la porte.

– Elle pourra peut-être nous aider à localiser les pirates.

– Non ! s'écria Amy au moment où son oncle appuyait sur la poignée.

– Madame Nakamura, je pense que votre système de sécurité informatique a été piraté…

La porte s'ouvrit à la volée, et Alistair se retrouva nez à nez avec un T-shirt gris taille XXXL tendu sur une poitrine musclée.

– Allez, Sherwood, la plaisanterie a assez duré, tonna Eisenhower Holt en souriant de toutes ses dents. Maintenant, en avant, marche !

6. Panique dans le métro !

Bzzz...

Le téléphone d'Amy se mit à vibrer. Elle regarda autour d'elle. Au volant de la fourgonnette, Eisenhower Holt se querellait avec sa femme, Mary-Todd. Sur la banquette arrière, Madison et Reagan, les jumelles, s'amusaient à lancer leurs crottes de nez dans les cheveux de leur grand frère Hamilton. Arnold, le pitbull de la famille, tentait de gober les projectiles en plein vol.

– Arrêtez de l'exciter, il va me sauter à la gorge ! leur cria Hamilton.

– Ce serait drôle, rétorqua Madison.

– Je te dis que Sherwood est le nom de la forêt[1], insista Mary-Todd auprès de son mari. Le détective s'appelle Sherlock !

– On verra ça plus tard. Je te rappelle tout de même que j'ai obtenu 100 points au test de QI quand je suis entré à West Point. Enfin, 99, mais je n'avais pas encore commencé la formation.

– Oui, d'accord, mon cœur, mais la normale est à 100, répliqua-t-elle.

– La normalité est l'ennemie de la créativité, affirma Eisenhower. Pense à l'ingéniosité dont nous avons fait preuve pour capturer les gamins : ça prouve bien qu'un Holt ne peut pas se contenter d'être normal.

Bzzz...

Amy glissa sa main dans la poche gauche de son pantalon et en tira discrètement son portable. Sur la droite, elle était compressée par Alistair qui bouillait de rage. Et ce dernier était lui-même tassé contre Dan, quant à lui parfaitement insouciant : il était absorbé par la lecture de dépliants touristiques trouvés sur le sol de la fourgonnette.

Elle jeta un coup d'œil à l'écran du téléphone :

_____

1. La forêt de Sherwood, en Angleterre, était la principale cachette de Robin des bois (NDT).

Étouffant un cri, elle montra discrètement l'identité de l'appelant à Dan et à Alistair. Nellie était vivante !

– OUAAIIIS ! Hourra ! laissa échapper son frère.

– Tu vois, le fils Cahill m'approuve ! dit Eisenhower avec un grand sourire, en jetant un coup d'œil dans le rétroviseur. Brave garçon ! Eh oui, tu as gagné le gros lot ! Tu es notre prisonnier ! Ha, ha, ha !

Tous les Holt se tordirent de rire, à l'exception d'Arnold qui semblait dépité : il n'avait plus d'encas volant à se mettre sous la dent.

– C'est vraiment dommage que vous ne vous soyez pas rendu compte que vous étiez suivis depuis le début, poursuivit Eisenhower. Grâce à notre Holt-technologie de pointe, nous avons localisé la puce électronique implantée sur votre chat, jusqu'à ce qu'on découvre que c'était… votre oncle !

Madison et Reagan le regardèrent, perplexes.

– Après l'avoir filé jusqu'à l'aéroport, j'ai mis au point une prouesse informatique : pénétrer dans l'ordinateur commandant l'émission des billets de la Japan Airlines.

– Mais je lui ai alors rappelé que nous n'avions qu'à suivre votre limousine, intervint Mary-Todd en élevant la voix.

Madison enchaîna :

– Une fois arrivés à l'autre aéroport, on vous a vus monter dans l'avion, et un type de la compagnie nous a dit où vous alliez.

– *Ouaf* ! aboya Arnold.

– Par conséquent, nous avons réquisitionné un avion pour vous devancer au Japon, où nous avons encore suivi quelque temps vos faits et gestes, jusqu'à notre estocade finale : pirater les ordinateurs de la bibliothèque pour vous piquer toutes vos informations, dit Eisenhower avec un grand sourire. Et quand je vous vois là, tous les trois, je comprends pleinement quelle est mon ambition dans la vie. Ce n'est pas seulement d'être le premier à découvrir les 39 clés. C'est aussi de redorer le blason des Holt et de replacer ce nom tout en haut de la branche des Tomas, au sommet de l'arbre ! Ainsi, les Holt cesseront d'être considérés comme la dernière roue du carrosse et, enfin, nous ne serons plus les vilains petits canards qui font tache parmi les cygnes immaculés de la ferme des Tomas. Et c'est vous qui nous aiderez à accomplir notre destin, car vous allez nous conduire au prochain indice qui, selon nos recherches, se trouve dans les tunnels de Tokyo.

– Vous avez fait ça tout seul ? riposta Amy.

Elle avait du mal à contenir son soulagement : Nellie allait bien.

– Environ 53 pour 100, répondit Eisenhower.

– Non, je dirais plutôt 47, rectifia Mary-Todd.

– Je savais que ça n'aurait pas l'air plausible.

– Papa, geignit Reagan, c'est quand même moi qui ai assuré toute la partie piratage informatique...

– Je te répète de ne pas m'appeler « papa » quand nous sommes en mission, la rabroua sévèrement Eisenhower.

– Bien, chef. Oui, chef ! marmonna-t-elle.

– Vos petites querelles n'ont pas plus d'intérêt que vos discussions, gronda Alistair d'une voix rauque. Pirater le système ne vous a servi à rien du tout. Vous avez juste réussi à me dérober ma carte, espèce de crétin.

– Oncle Alistair ? s'inquiéta Amy.

Elle ne l'avait jamais vu aussi furieux.

– J'entends caqueter à l'arrière, serait-ce un Ekaterina ? répliqua Eisenhower.

– Ouaf ? aboya Arnold en se mettant à baver.

Alistair partit d'un rire sarcastique.

– Et comment espérez-vous, pauvres imbéciles, pouvoir interpréter correctement ce plan ? Je vous signale qu'il est rédigé en japonais.

– Ah, parce que vous croyez qu'on est du genre à rester les deux pieds dans le même sabot ? tonna Eisenhower. J'ai entendu toute votre conversation à travers la porte de la bibliothèque, concernant une ancienne crypte souterraine… et c'est justement par là que nous allons commencer. En avant, marche !

La fourgonnette fit une brusque embardée vers la gauche.

Dan releva les yeux du plan du métro de Tokyo qu'il avait ramassé par terre. Une étincelle brillait dans ses yeux comme s'il venait de réussir à passer un niveau dans le jeu vidéo *World of WarCraft*.

– Une crypte ? On ferait mieux d'aller inspecter le métro, affirma-t-il.

Cette fois, la fourgonnette vira brutalement à droite.

– J'ai envie de faire pipi, annonça Madison.

Le véhicule s'arrêta sur le bord de la route.

– Bon alors, qu'est-ce qu'on décide ? interrogea Mary-Todd.

Pendant que les Holt débattaient, Alistair Oh chuchota :

– Pourquoi parles-tu du métro, mon garçon ?

– Eh bien, d'abord, j'ai mémorisé votre carte, commença Dan, surexcité.

– Chuuutttt ! siffla Amy.

– Les tunnels secrets et le réseau du métro se superposent presque exactement, j'en déduis que le métro a dû être construit en suivant des souterrains déjà existants.

Les Holt se turent soudainement.

– Dan, tu es en train de tout leur dire ! l'avertit sa sœur.

Il releva la tête, penaud.

– Mais non, je parlais à oncle Alistair.

– On a tout entendu ! claironna Reagan en lui tirant la langue. De toute façon, si tu ne nous en avais pas parlé, tu serais un homme mort.

Ouaf, approuva Arnold en découvrant les crocs.

Dan pâlit et jeta un regard contrit à Amy et à Alistair, dont les visages s'étaient assombris.

– Euh, eh bien… en fait, ce n'est pas tout à fait vrai. Je me suis sans doute trompé. Euh, parce qu'en réalité il y a une différence énorme. Au centre de l'ancienne carte se trouve une intersection avec un grand espace, alors que sur le plan du métro, les tunnels sont parallèles. Vous voyez ? Ça ne doit pas être le bon endroit…

– C'est justement lorsque deux plans divergent qu'on découvre le pot aux roses, décréta Eisenhower.

– Quel cerveau ! s'extasia Mary-Todd.

Amy bougonna. Plus Dan s'embrouillait, plus Eisenhower paraissait intelligent.

– Qu'il est mignon ! ricana Hamilton.

Tout à coup, Eisenhower les fixa en plissant les yeux.

– Bien, j'espère que vous n'êtes pas en train de nous mener en bateau, hein ? Parce qu'on est moins bêtes qu'on en a l'air.

Désarmé, Dan regarda son oncle et sa sœur.

– Eh bien, il y a deux stations de métro de part et d'autre de l'endroit que nous cherchons. J'ai l'impression que la plus proche est Yotsuya, du côté nord.

– Nous prendrons celle qui est au sud, décida Eisenhower.

La fourgonnette redémarra en trombe.

– Il faut vraiment que je fasse pipi, rappela Madison.

Ils attendirent que le métro quitte la station Nagatacho et se retrouvèrent seuls sur le quai. Un dépliant des horaires, qu'Alistair avait demandé à un employé, indiquait que le train suivant passerait à 17 h 40. Il consulta sa montre.

Puis il suivit des yeux les rails, sombres et étroits, qui s'enfonçaient dans un tunnel d'un noir d'encre.

– Il est 17 h 17, annonça-t-il d'une voix tremblante. Ça nous laisse exactement 23 minutes.

Eisenhower se posta au bord du quai.

– En formation !

– Je veux être en tête ! affirma Madison.

– On a dû attendre pendant que mademoiselle allait aux toilettes, se plaignit Reagan. Je peux passer la première ?

– C'est bientôt l'anniversaire de maman, signala Hamilton. On pourrait lui faire plaisir.

– *Ouaf*, ajouta Arnold en se lançant à la poursuite d'un rat noir de suie qui se faufilait sur la voie.

– *Un pour tous, tous pour Holt*, s'écria le père en tirant de sa poche une paire de gants de jardinage verts.

Il les enfila avant de sauter du quai.

– Attention, ne touchez surtout pas le quatrième rail !

– Le troisième, mon cœur, corrigea son épouse.

Pendant que les jumelles s'engageaient à la suite de leur père, Alistair retint ses neveux par le bras dans l'intention de prendre la fuite. Malheureusement, Hamilton et Mary-Todd se mirent en travers de leur chemin.

– Ta, ta, ta ! fit le garçon en secouant la tête.

– Bien essayé, tonton, murmura Dan.

17 h 19 : il ne restait plus que 21 minutes.

Il descendit dans la fosse en poussant un grand soupir, suivi d'Amy, Alistair et des autres Holt. Un filet d'eau noire coulait sur le sol, emportant un papier de chewing-gum. Devant eux, le tunnel s'enfonçait dans l'obscurité. Dan avait la gorge serrée. Les souterrains ne leur avaient guère porté chance jusquelà. Il revit des images… courir, toujours courir… pour échapper à Jonah Wizard dans la galerie de Venise… puis aux Kabra dans les catacombes de Paris… fuir, toujours fuir.

Dans le métro parisien, sa sœur l'avait fait remonter de justesse avant qu'il ne soit écrasé par le train. Le monstre de métal lancé à pleine vitesse avait emporté son sac à dos et la seule photo qu'il possédait de ses parents. Maintenant, elle était sur un autre continent, perdue à tout jamais.

– Une, deux, une, deux…, scandait Eisenhower en rythme.

Amy poussa Dan devant elle, le tirant de ses pensées. « Splash, splash, splash, proutch », résonnaient ses pas.

– Proutch ? s'étonna-t-il.

– Je préfère ne pas savoir ce que c'est, affirma sa sœur.

Même dans la pénombre, il devinait qu'elle était blanche comme un linge. Ils avancèrent péniblement, en restant bien au milieu de la voie afin d'éviter le rail électrifié, jusqu'à ce que, dans leur dos, la faible lumière de la station ne s'estompe.

– Exposé de la situation ! cria Eisenhower.

D'une main tremblante, Dan braqua sa lampe sur son plan de métro. Les néons de la station suivante étaient à peine visibles.

Ils étaient à la moitié du parcours.

– Normalement, on ne doit plus être loin, annonça le garçon. L'endroit qu'on cherche se trouve en principe sur notre gauche.

– Formez les rangs, opération détection d'issues secrètes, ordonna Eisenhower.

Amy tâtonna le long de la paroi poussiéreuse.

– Il n'y a qu'un mur, ici.

– Continuez à chercher.

Dan poussait et tapait frénétiquement mais le mur, en ciment épais, était plein. Il consulta sa montre, qui commençait à perdre ses propriétés phosphorescentes 17 h 30.

– Ce... ce n'était pas une bonne idée, balbutia-t-il.

Sa voix résonna dans le tunnel.

– On a quitté la station il y a onze minutes, il nous reste donc dix minutes. On a juste le temps de retourner sur nos pas...

– Mission terminée, aboya Eisenhower. Alignement à gauche... en avant, marche !

Dan se mit à courir et bouscula sa sœur.

– Aïe !

– Excuse-moi. Vite, il faut regagner la station...

– Mais je suis coincée, Dan !

Il fit volte-face et braqua sa lampe de poche sur la silhouette accroupie. Amy grimaçait de douleur, le pied bloqué sous l'un des rails.

– Je vais l'aider ! cria Hamilton.

– Non, c'est moi, protesta Reagan. C'est jamais moi qui fais les trucs intéressants !

– Écartez-vous, tonna Eisenhower.

– *Ouaf*, aboya Arnold.

Dan poussa la famille Mastodonte pour s'accroupir auprès de sa sœur.

Un courant d'air s'engouffrait dans le tunnel, ébouriffant ses cheveux. Amy le fixa, les yeux écarquillés.

– Dan, tu crois qu'ils respectent ces horaires à la lettre ?

– Je n'en sais rien.

– Ce n'est pas quand un métro pénètre dans un tunnel qu'on sent l'air souffler... ?

Tactatoum ! Tactatoum !

Il se retourna : tels deux yeux brillants de serpent, deux phares progressaient dans leur direction, de plus en plus vite.

– Allez, les Holt, on décampe à pleins volts ! commanda Eisenhower.

Comme un seul homme, ils filèrent au pas de charge vers la station suivante.

– Ne nous laissez pas ! supplia Amy.

Dan essaya de la libérer en la tirant, encore et encore, mais son pied était bel et bien coincé.

TUUUUUUTTTTTT !

– Je... vais y arriver ! siffla-t-il entre ses dents.

Il s'agenouilla dans le filet d'eau glacé qui courait entre les rails : les vibrations du métro le faisaient onduler

– Dan, va-t'en !

– Attends... je sais...

Les lacets. Il plongea la main et tâta les lacets d'Amy qui étaient fermement noués et complètement trempés. Le pied de sa sœur semblait collé à sa chaussure. Si seulement l'humidité pouvait l'aider à le dégager...

Le crissement strident du métro retentit dans le tunnel. Un vent violent fit tourbillonner autour d'eux poussière et déchets.

– Vas-y, Dan !

– Arrête, je ne peux pas te laisser...

Elle l'avait sauvé, c'était à son tour maintenant.

Dans le fracas assourdissant du train à l'approche, il continua à pousser et à se démener de toutes ses forces pour la délivrer.

Soudain elle le repoussa et lui cria de déguerpir. Il sentit son haleine glacée et vit les veines de son cou toutes gonflées.

Elle hurlait, mais il ne comprenait pas un mot de ce qu'elle disait.

TUUUUUUTTTTTT !

Dan, aveuglé, se figea dans la lumière éblouissante des phares du métro.

7. Le repaire des yakuzas

– AAAIIHH !

Amy n'entendait plus rien : le souffle d'air puissant, le rugissement métallique des freins et le hurlement du klaxon lui avaient transpercé les tympans. Elle avait dû fermer les yeux, parce qu'elle ne voyait plus rien non plus.

Mais elle sentit son corps emporté dans les airs : elle volait. Soudain, son épaule heurta le ciment dur et froid. Lorsqu'elle ouvrit les paupières, elle était plongée dans une obscurité et un silence profonds.

– Alors, ça y est, je suis morte ? s'entendit-elle dire d'une voix haut perchée.

Il n'y eut aucun bruit pendant un long moment, puis :

– Salut, la morte ! Je m'appelle Dan !

Scratch !

La flamme vacillante d'une allumette dessina le contour de leurs deux visages. En s'asseyant, Amy ressentit une vive douleur à la cheville gauche et remarqua qu'elle avait perdu sa chaussure.

– Dan ? Oncle Alistair ?

Son frère, le visage barbouillé de suie et les yeux exorbités, avait encore les cheveux dressés sur la tête.

– Oncle Alistair nous a sauvé la vie. Il nous a attirés dans un recoin. Je ne sais pas comment il a fait !

Il la rejoignit en titubant et se pencha pour examiner sa jambe.

– Tu as encore ton pied ! Tu n'as pas été amputée !

Sur ce, ses genoux cédèrent sous son poids, et il s'effondra.

– Dan !

Elle voulut le soutenir, mais sa cheville la fit hurler de douleur.

– Ça va, ça va, déclara son frère en s'asseyant. Pas la peine d'appeler le Samu ! Est-ce que mes cheveux ont blanchi d'un coup ?

Alistair promena l'allumette autour de lui pour éclairer une grande pièce.

– Non, non, tu n'as pas les cheveux blancs... Tu étais pile au bon endroit, fiston, la cachette est bien là où tu pensais. Il y avait un signe gravé sur une plaque électrique, une sorte de caractère ancien : j'ai appuyé dessus... et une porte s'est ouverte ! J'ai juste eu le temps de vous tirer à l'intérieur.

Amy s'approcha à cloche-pied pour le serrer dans ses bras.

– Oh, merci, oncle Alistair !

Elle le sentit se raidir. Il ne devait pas avoir l'habitude de ce genre de démonstrations d'affection, cependant, maladroitement, il l'étreignit à son tour.

– Je vous devais bien ça. Vous m'avez sauvé la vie, dit-il doucement.

– Eh bien, maintenant, nous sommes quittes, conclut Amy.

Elle posa sa tête sur l'épaule de son oncle, vêtu de son costume de soie qui sentait bon l'après-rasage.

Celui-ci baissa les yeux, l'air inquiet.

– Comment va ton pied ?

– Hum... Je peux le remuer, mais je crois que je me suis foulé la cheville, répondit-elle en grimaçant.

– Ce n'est pas le jour pour un solo de claquettes, alors, la taquina Dan.

Elle lui sourit. Jamais elle n'aurait imaginé apprécier un jour ses blagues vaseuses. Elle sentit une bouffée de tendresse la submerger.

– Oh non, je te vois venir : pas de bisous ! protesta-t-il en reculant.

D'une main tremblante, il alluma sa torche et la promena autour de lui. Ils découvrirent un tas d'objets hétéroclites couverts d'une épaisse couche de poussière grise : des vêtements et d'étranges ustensiles en métal terni, une boîte, un cylindre, un globe...

– Il semblerait que les yakuzas n'aient pas mis les pieds ici depuis une éternité, constata Alistair.

Remettant ses gants blancs, il se pencha vers la montagne de bazar et souleva avec précaution un vêtement au tissu sec et cassant.

– Difficile de deviner de quand ça date sous toutes ces couches de poussière métallique.

– Hé, regardez ! les interpella Dan en brandissant un rouleau déniché derrière une commode.

– Fais attention ! l'avertit Amy.

Il étala le parchemin, noirci sur les bords, sur lequel étaient inscrites trois lignes en caractères japonais stylisés.

– Qu'est-ce que ça raconte ? voulut savoir le garçon.

Alistair l'examina attentivement.

– Je pense que c'est un haïku, un poème traditionnel japonais très court...

Grâce à la géométrie
Vous trouverez la cachette
Du trésor de Hideyoshi.

– Le trésor ? C'est-à-dire les sabres ? demanda Amy.

– Ça y est, on est riches ! s'écria son frère. Youpi ! Je le savais ! Bon, la géométrie, c'est mon affaire. Laissez-moi une minute...

– Mais ça pourrait être à peu près n'importe quoi, soupira-t-elle en jetant un regard circulaire autour d'elle.

– La pièce dans laquelle nous nous trouvons a le volume d'un parallélépipède, vous me suivez ? raisonna Dan.

– Pardon ? fit Alistair.

– Cette chambre peut être comparée à un parallélogramme à trois dimensions.

– Je ne vois pas comment tu comptes résoudre ce problème, objecta sa sœur, c'est comme chercher une hypoténuse dans une botte de foin.

– Tu essaies de faire de l'humour ? Dis-moi quand il faut rire la prochaine fois.

Dan relâcha le parchemin, et ce dernier s'enroula sur lui-même avec un bruissement sec qui résonna dans le silence. Un silence glacial.

– C'est bizarre, on n'entend pas les métros passer, remarqua Amy, inquiète.

Dan fouilla dans ses poches.

– Mince, j'ai perdu les horaires dans la panique.

– Logiquement, une autre rame aurait dû passer. Je ne comprends pas pourquoi c'est si calme.

Leur oncle se leva brusquement.

– Tu as raison. Ils doivent avoir coupé le courant. Ce qui signifie…

Un brouhaha étouffé leur parvint à travers le mur.

– Qui ça peut être ? paniqua Dan. La police ?

Alistair plissa le front et il sembla tout à coup très âgé.

– Non, répondit-il d'une voix tremblante, ce sont les yakuzas.

– Qu'est-ce qu'on fait ?

Il poussa ses neveux vers la porte.

– On ne peut pas rester ici. Ils vont sûrement trouver ta chaussure, le prospectus des horaires ou mes empreintes sur la plaque électrique. Dépêchons-nous !

– Un cube ! s'écria soudain Amy en s'agenouillant devant le tas de matériel. Regardez : une sphère, un cylindre, un paral… parallélo-je-ne-sais-quoi ! Dan, ce sont bien des formes géométriques, n'est-ce pas ?

Aussitôt, ce dernier les fourra dans son sac à dos.

– Allez, on les prend tous !

– Vite ! ordonna Alistair en empoignant un cube d'une main et une pyramide de l'autre.

Amy, quant à elle, cueillit au passage un long cylindre et leur emboîta le pas.

Lorsqu'ils débouchèrent sur les rails, Alistair n'eut qu'à refermer soigneusement la cachette derrière eux. Sur le mur auparavant lisse et noir de suie, on pouvait déceler le contour presque imperceptible de la porte.

La rame de métro qui avait failli les tuer était arrêtée un peu plus loin. Les voitures de queue n'avaient même pas atteint la station.

Amy extirpa sa chaussure du rail et l'enfila tant bien que mal. Sa cheville la faisait terriblement souffrir. Les dents serrées, elle se mit à courir en boitant. Déjà, elle distinguait les quais au loin quand ils aperçurent des rayons lumineux oscillant comme des lucioles. Ils se figèrent net.

– C'est la police, chuchota Alistair. Il faut à tout prix leur échapper !

À mesure que l'écho des voix se faisait plus audible, les lumières se rapprochaient. De l'autre côté, les gangsters progressaient vers eux. Ils étaient pris en sandwich.

– Et les yakuzas ? demanda Dan.

– Ils vont nous tuer, affirma Alistair.

– Alors mon choix est fait, s'exclama le garçon en partant en direction des policiers.

Amy le saisit par le bras.

– Non !

– Tu as une meilleure idée ?

Elle leva les yeux. Juste au-dessus de sa tête, une échelle était fixée au mur.

– Il faut qu'on emporte tout, décréta Alistair.

Il ôta sa veste en soie à la hâte, l'étendit et posa les objets dessus avant d'en faire un baluchon avec la corde que Dan tira de son sac à dos.

Malgré son entorse, Amy monta la première. Son frère glissa la corde entre ses dents, agrippa l'échelle et la suivit.

Alistair, pétrifié, demeura dans l'obscurité, une main sur l'échelle et l'autre cramponnée à sa canne.

– Venez ! vociféra Dan.

– Non, allez-y, ne m'attendez pas !

Des bruits de pas résonnèrent sourdement sur les rails. Un homme surgit de l'obscurité : son visage était couvert de suie et seuls ses yeux et ses dents luisaient dans le noir... jusqu'à ce que Dan distingue le reflet d'un poignard dans sa main droite.

Comme s'il avait reçu une décharge électrique, Alistair se mit en mouvement. Il avait atteint le deuxième barreau lorsqu'un cri guttural retentit :

– KIIIIIIIIII-AAAAIIII !!!

Dan jeta un regard en bas et vit la lame fendre l'air.

8. Gare aux shurikens !

– Attention !!! hurla Amy.

Son oncle poussa un grognement en tentant de se hisser sur le barreau du dessus.

Clang !

Dan sentit l'échelle trembler. Il se cramponna, pétrifié par le drame qui se jouait juste au-dessous de lui.

D'un mouvement de canne sec et précis, Alistair désarma son adversaire, puis, dans le même élan, il lui asséna un coup sur la tête, l'envoyant dégringoler sur les rails.

– Dépêche-toi de sortir, Dan ! ordonna-t-il.

– Où avez-vous appris à faire ça ? s'étonna le garçon.

– Je suis un homme plein de surprises. Maintenant, file !

Arrivée en haut de l'échelle, Amy poussa une grille et déboucha sur le trottoir. Son frère s'extirpa du trou en traînant le paquetage derrière lui. Quelques secondes plus tard, Alistair les rejoignit, hors d'haleine. Alors que Dan remettait rapidement la grille en place, il le tira par le col.

– On n'a pas le temps !

– Attendez, Amy ne suit pas, protesta le garçon.

Elle boitillait sur sa cheville blessée.

Un grincement sinistre retentit dans leur dos. Quelqu'un tentait de pousser la grille !

Alistair fit volte-face.

– Excusez-moi une minute.

Il leva sa canne comme un club de golf et en flanqua un grand coup sur les doigts noirs de suie. De toutes ses forces.

– Aaaaaaaaahhhhhh !

Dan entendit plusieurs cris suivis de chocs sourds : leurs poursuivants étaient vraisemblablement tombés en vrac au bas de l'échelle.

Alors Alistair s'agenouilla en ordonnant :

– Allez, Amy, monte sur mon dos !

Elle s'agrippa à son cou, puis le vieil homme se releva en grimaçant et traversa la rue, avec Dan sur les talons. Le soleil couchant dessinait leurs longues ombres sur la chaussée : quel étrange monstre biscornu !

Une voiture fit une embardée pour les éviter. Le conducteur les insulta copieusement en écrasant son klaxon.

Tuut !

Entre ses dents serrées, Alistair murmura :

– Il faut cacher le paquetage. On reviendra le chercher plus tard.

Ils s'enfoncèrent dans une étroite ruelle. Dan repéra un espace sombre entre deux immeubles et y glissa le baluchon, puis ils filèrent à toutes jambes. La rue montait en pente raide, bordée de bâtiments de briques d'un ou deux étages, d'où s'échappaient des relents de sauce soja et de crevettes frites. Avec Amy sur le dos, Alistair gravit la colline, de plus en plus essoufflé.

– Où va-t-on ? s'inquiéta Dan.

– J'ai des amis à Tokyo. Il faut juste qu'on trouve un taxi.

Alors, comme par magie, un taxi surgit en bas de la rue. Alistair leva la main et se mit à crier en japonais.

Mais le véhicule se dirigea droit sur lui, sans ralentir.

– Attention ! hurla Dan.

Alistair l'esquiva d'un bond, envoyant sa nièce rouler sur le bitume, tandis que la voiture grimpait sur le trottoir. Elle les manqua d'un cheveu avant de s'arrêter dans un crissement de freins.

Les quatre portières s'ouvrirent en même temps.

– Les yakuzas !

Amy se releva tant bien que mal et détala, malgré son genou écorché et sa cheville foulée. En lui emboîtant le pas, Dan entendit un sifflement derrière lui.

– Baisse-toi, Amy !

Un disque métallique hérissé de pointes lui frôla le crâne tandis qu'il plaquait sa sœur au sol.

– Non, mais ça ne va pas ! Qu'est-ce qui te prend ? hurla-t-elle.

– Ils nous bombardent de *shuriken*s, expliqua Dan, des étoiles ninjas !

– Par ici, ordonna Alistair.

Il poussa un portillon et les entraîna dans un square, où ils se cachèrent à l'intérieur d'un tube métallique, dans une aire de jeux pour enfants.

Chtack ! Chtack ! Chtack chtack chtack chtack !

Avec un bruit de mitraille, une pluie d'étoiles ninjas s'abattit sur les parois, à quelques centimètres seulement de leurs têtes.

Le tunnel débouchait sur un agencement complexe de poutres, de cordes et d'échelles à escalader. Alistair courait tête baissée, sa canne sous le bras, enjambant tant bien que mal les obstacles. Autour d'eux, les étoiles se fichaient dans les poutres, faisant voler des éclats de bois en tous sens.

Dans leur dos, des Japonais aboyaient des ordres, des portières claquaient, des pneus crissaient. Ils ressortirent à l'autre bout du square, traversèrent une pelouse et franchirent une clôture pour pénétrer dans une petite cour.

– Ouille ! cria Amy. Mon pied est coincé dans le grillage !

– Vite, ne t'arrête pas ! la pressa Alistair en la tirant par le poignet.

Dan s'aperçut que la pluie d'étoiles ninjas avait cessé. Les yakuzas n'oseraient tout de même pas les lancer en plein quartier résidentiel.

Ils émergèrent dans une autre rue, bordée de magasins des deux côtés. Il entendit un moteur vrombir sur sa droite.

– À gauche ! rugit-il.

La rue descendait en pente douce jusqu'à un grand marché où les commerçants nettoyaient les étalages, remballant leur marchandise. Dan y vit l'occasion rêvée d'échapper à leurs poursuivants : s'ils parvenaient à se fondre dans la foule, les yakuzas n'arriveraient pas à les rattraper.

VROOOUUUM !

Le garçon s'immobilisa : une Porsche rouge déboucher juste devant eux, leur bloquant le passage. Il cligna des yeux, ébloui par la lueur des phares.

Tiou tiou !

– C'est pas vrai !

Il agrippa sa sœur et la tira à l'abri derrière une boîte à lettres.

– Ils tirent sur le taxi des yakuzas. Viens !

Une fléchette brisa l'un des phares du véhicule.

Tiou tiou !

Une autre fendit le pare-brise en deux. Le taxi tenta de faire demi-tour, virant désespérément à gauche. Il grimpa sur le trottoir en marche arrière et renversa la boîte à lettres.

Amy se mit à hurler. Et peut-être bien que Dan aussi. Ils furent projetés contre un mur, tandis qu'un cylindre en métal rouge tout cabossé roulait à leurs pieds.

Dans un fracas assourdissant, le taxi rentra dans la vitrine d'un fleuriste voisin. Il atterrit sur un lit de fleurs écrabouillées et de verre brisé, les roues en l'air. Deux hommes s'en extirpèrent tant bien que mal, hébétés, et titubèrent quelques instants avant de reprendre leurs esprits. Dan, Amy et Alistair se blottirent dans l'ombre tandis que leurs poursuivants partaient dans la direction opposée, jetant des regards apeurés par-dessus leur épaule.

– Qu'est-ce qui s'est passé ? demanda la jeune fille.

– On s'est retrouvés au milieu d'un combat de ninjas, lui expliqua son frère, ébahi. C'est bien moins marrant que dans un jeu vidéo, finalement.

Des voix s'élevèrent, tandis que les badauds accouraient de toutes parts, intrigués.

Dan se releva lentement. La boîte à lettres lui cachait en partie la Porsche, mais il apercevait ses vitres fumées et ses enjoliveurs chromés.

– On leur doit une fière chandelle, constata-t-il en s'approchant.

– Sois prudent, lui glissa son oncle.

Soudain, les portières s'ouvrirent. Le garçon se figea.

– *Mrrrraw ?*

Un félin majestueux vint se frotter contre ses chevilles. C'était un mau égyptien qui ressemblait en tous points à Saladin, mis à part son poil terne et un peu crotté.

– Oh !…, souffla Amy.

– On dirait qui-tu-sais, chuchota son frère, le cœur battant.

Le chat s'approcha de la jeune fille qui lui tendit les bras.

– Je ne voudrais pas vous décevoir, mais cette race est très répandue au Japon, fit remarquer Alistair, les yeux rivés sur la Porsche. Vous croyez qu'il y a des survivants, là-dedans ?

En guise de réponse, une silhouette vacillante surgit de derrière la boîte à lettres. Dan en eut le souffle coupé.

– La prochaine fois, les nains, faites attention à vos cartes d'embarquement ! conseilla Nellie Gomez.

9. Révélations en chaîne

Abasourdie, Amy ouvrait et fermait la bouche dans une parfaite imitation du célèbre poisson-ballon, sans parvenir à articuler le moindre son.

– *Mrraw* ? répéta Saladin.

– Génial ! s'exclama Dan.

Il prit le chat dans ses bras et se jeta au cou de Nellie. Il constata ainsi qu'il s'agissait bien de leur jeune fille au pair en chair et en os, fidèle à elle-même, avec ses cheveux hérissés et son piercing dans le nez.

Quant à sa sœur, elle restait pétrifiée, comme si elle avait vu un fantôme. Il lui fallut quelques instants pour comprendre et serrer Nellie dans ses bras. En sanglotant. Le problème, c'est que c'était contagieux. Immédiatement, la jeune fille se mit à hoqueter également. Même oncle Alistair avait les larmes aux yeux.

Saladin sauta sur l'épaule d'Amy qui le regarda, incrédule.

– Comment avez-vous fait… ?

– Pour vous retrouver ?

Nellie éclata de rire.

– Votre petite escapade souterraine a fait la une des journaux : métro paralysé, des passagers sur les voies… Ça a fait tilt ! J'étais sûre que c'était vous !

– Où tu as déniché ce bolide ? voulut savoir Dan.

– Et les fléchettes ? ajouta sa sœur.

– Tu as mon sac de voyage ? renchérit-il.

– Comment avez-vous fait pour échapper aux Kabra ? s'enquit Alistair.

– Holà, doucement, pas tous à la fois ! les coupa la jeune fille au pair.

Derrière elle, deux silhouettes en noir sortirent de la voiture.

– Elle ne nous a pas échappé, annonça Ian.

– Bas une zeule zegonde, compléta Natalie d'une voix nasillarde.

Dan sentit son sang se glacer. Sa sœur lui prit le bras, paniquée.

– Du calme, on a survécu à une attaque de ninjas, je te signale, lui rappela-t-il. Et puis, ils ne sont que deux, on est quatre.

– *Mrraw* ! protesta Saladin.

– Oups, cinq, pardon !

Natalie éternua.

– Atchoum ! Ze déteste les sats !

– Visiblement, ils te le rendent bien, constata Dan. ATTAQUE, SALADIN !

Ian brandit son pistolet argenté.

– Vous vouliez savoir d'où provenaient les fléchettes ? Voilà la réponse, expliqua-t-il patiemment. Vous vous en êtes sortis grâce à ma parfaite maîtrise de cette arme. Et aussi parce que j'ai insisté pour louer cette voiture à la place du break beige que votre baby-sitter avait choisi.

Au gas où vous n'auriez bas gompris, bauvres grétins, on vous a zauvé la vie ! Atchoum !

– Pourquoi ? s'étonna Dan. Vous nous détestez !

– Z'est brai, concéda la jeune fille entre deux éternuements.

– Hé, Nat ! Prends tes cachets contre l'allergie et arrête de nous postillonner dessus ! intervint Nellie en ouvrant la portière. Allez, montez tous là-dedans. En voiture !

– Mais…, protesta Amy en fixant les Kabra d'un œil soupçonneux.

– On file avant que les yakuzas ne rappliquent, insista la jeune fille au pair. Je vous expliquerai tout en route. Au fait, vos sacs sont dans le coffre.

« Super ! », pensa Dan. Les sabres étaient donc toujours en leur possession. Il s'installa sur la luxueuse banquette en cuir avec Amy et Ian, tandis que les autres se serraient à l'avant.

– Waouh ! C'est la première fois que je monte dans une Porsche ! On pourra la garder ?

– Nous avons… euh… laissé nos… hum… manteaux près de la station de métro, annonça Alistair. Je vais vous indiquer comment vous y rendre, si vous voulez bien, Nellie.

– Ceintures de sécurité ! ordonna-t-elle.

Elle mit le contact, démarra et donna un coup d'accélérateur pour passer au feu orange. Alistair tendit le doigt vers la droite tandis qu'elle reprenait :

– Bien. Résumé des épisodes précédents. Vous imaginez ma tête quand je me suis retrouvée dans l'avion avec Morticia et Einstein Junior. J'ai complètement paniqué, je me demandais où vous étiez passés. J'ai cru qu'ils vous avaient zigouillés. Et là, ils m'ont raconté ce qui s'était passé, tout fiers, comme s'ils venaient de gagner une partie de Cluedo. Bref, ils m'ont menacée pour que je réponde à leurs questions. Évidemment, j'ai résisté, ils ont insisté, et là, je me suis dit : « Je te parie qu'ils vont essayer de me droguer pour me faire parler. » Bingo, la petite sorcière a essayé de verser son poison dans ma cannette, juste sous mon nez ! Bon, je ne me suis pas énervée, j'ai fait semblant de le boire et paf ! Je leur ai envoyé la sauce en pleine figure. Ils ont piqué une de ces crises. Oh là là ! Elle est pas gentille, la grande fille, elle a tout mouillé leurs beaux habits. Ils se sont jetés sur leur sac. Mais j'ai été plus rapide, je me suis assise dessus.

Ian la coupa :

– Le poison était sous une forme extrêmement concentrée. Il risquait de nous défigurer ou même de nous rendre aveugles.

Horrifiée, Amy eut un mouvement de recul. Elle écrasa son frère contre la portière pour éviter tout contact avec son cousin.

– Et vous alliez laisser Nellie boire ça ?

– Natalie devait juste en verser une goutte dans son verre, mais à cause des turbulences, cette idiote a vidé la fiole entière ! Avant qu'on ait pu prévenir votre punk de nounou, elle nous a arrosés avec ! Par chance, elle nous a finalement laissé prendre l'antidote dans notre bagage à main.

– Elle est trop gentille, commenta Amy.

– Non, simple échange de bons procédés, corrigea Nellie. Je les ai convaincus de me donner le contenu de leur portefeuille.

– C'est du chantage, marmonna Natalie.

Nellie fit un écart à droite. Du coin de l'œil, Dan vit la main de sa sœur frôler accidentellement celle de Ian. Avec un cri strident, elle s'écarta vivement, le plaquant à nouveau contre la portière.

– *Mrraw* ! miaula Saladin en soufflant sur Ian, poils hérissés.

Le garçon recula le plus loin possible du chat, puis toussota :

– Hum, si nous sommes réunis dans cette voiture, c'est que nous souhaitons vous proposer une alliance temporaire. En gage de notre bonne foi, nous allons même vous révéler une clé découverte par notre clan.

Amy et Dan retinrent leur souffle. Décidément, leurs adversaires étaient prêts à tout pour obtenir leur collaboration.

– Il s'agit du carbonate de calcium, reprit Ian. Bien, comme nous l'avons expliqué au goret qui vous sert de jeune fille au pair, nous possédons un objet susceptible de vous intéresser.

– Tu veux parler de nos cartes d'embarquement ? Merci, mais c'est un peu tard, répliqua Dan. Et de toute façon, je préfère faire équipe avec une armée de limaces baveuses plutôt qu'avec un membre de la famille Kabra.

– Très bien, notre pièce de collection nous aidera donc à trouver l'indice par nous-mêmes.

Alistair se tourna brusquement vers lui.

– Une pièce de collection ?

Ian lui adressa un sourire rusé.

– Ah ! Quel plaisir de constater que vous n'êtes pas aussi obtus que vos neveux. Vous n'êtes pas sans savoir, monsieur Oh, que les Lucian accumulent les indices depuis des siècles. Tout comme les Ekaterina, d'ailleurs. Et sans doute les... hum, de quel clan êtes-vous, Daniel ?

– Nous sommes des Cahill, répliqua le garçon, agacé. Et jamais nous n'accepterons de collaborer avec vous.

– Ils nous ont sauvé la vie, Dan, plaida Amy.

– Ils ont aussi essayé de nous tuer, et pas qu'une fois. Dans la grotte à Salzbourg, dans les canaux de Venise...

– Vous voyez, les choses changent, confirma Natalie.

– Notre... objet appartenait autrefois à un guerrier japonais, reprit Ian. Et il est essentiel pour trouver la prochaine clé. Hélas ! Natalie et moi, nous ne lisons pas cette langue. Et c'est là que vous entrez en scène, monsieur Oh.

Il se pencha vers le vieil homme.

– Vous nous faites profiter de votre savoir, nous vous faisons profiter de notre indice. Travail d'équipe.

– Ce n'est que temporaire, s'empressa de préciser Natalie. Ensuite, l'alliance sera rompue. Nous avons une réputation à tenir.

– Garez-vous ici, je vous prie, Nellie, ordonna Alistair.

La Porsche s'arrêta dans un crissement de pneus à l'entrée d'une ruelle déserte. Le vieux Coréen se tourna vers les Kabra.

– Qu'est-ce qui nous prouve votre bonne foi et que nous pouvons nous fier à vous ?

– Rien, murmura Amy, et nous le savons tous.

Ian sourit en glissant la main dans sa poche. Il en sortit une petite bourse en velours, brodée aux armes des Kabra, et la déposa dans sa paume.

– Voilà pour toi, Amy Cahill. Maintenant, prouvez-nous la vôtre et que nous pouvons vous faire confiance.

Une pièce. Une simple pièce d'or gravée, voilà ce que les Kabra leur donnaient en gage. Alistair déchiffra les inscriptions en japonais et en conclut qu'elle pouvait en effet avoir appartenu à Hideyoshi. Peut-être. Dan était fou de rage. Faire équipe avec les Kabra, c'était comme embrasser un cobra.

— Elle est très belle, murmura sa sœur, tandis qu'ils s'enfonçaient dans la ruelle où ils avaient caché leur paquet.

Juste devant eux, Alistair racontait à Ian et à Natalie ce qui s'était passé dans le métro.

— Tu parles, c'est un jeton pour la salle de jeux vidéo du coin, oui, grommela Dan.

— Oncle Alistair n'est pas de cet avis, répondit sa sœur, et il s'y connaît en numismatique.

— Quoi ? Il est asthmatique, lui aussi ?

— Non, il collectionne les pièces de monnaie, crétin.

— Comme tout le monde, il veut devenir riche.

— Qui plus est, Ian est d'accord avec lui, poursuivit-elle en ignorant la réplique sarcastique de son frère.

— Voilà, il lui a suffi de te toucher la main pour contrôler tes pensées !

— Chut ! souffla-t-elle en voyant Ian leur jeter un coup d'œil par-dessus son épaule.

Ils retrouvèrent le paquetage de soie là où ils l'avaient laissé, tel un vieux sac poubelle abandonné dans un coin. Dans la pénombre, Dan vit que sa sœur était furieuse.

« Désolé de te flanquer la honte devant ton petit ami ! », pensa-t-il.

Alistair s'agenouilla pour déballer les objets, puis tenta d'ouvrir le cube.

– Il faut faire vite.

Avec un soupir, Dan s'escrima à ôter le couvercle rouillé du cylindre. Son oncle jeta le cube en pestant :

– Rempli de poussière.

Alors qu'il saisissait une autre figure géométrique, une longue limousine noire se gara à l'entrée de la ruelle. Un chauffeur en uniforme sortit pour ouvrir la portière passager.

Tapi contre le mur, Dan épia discrètement la scène.

Un vieil homme d'origine asiatique, sec et maigre comme un clou, descendit du véhicule. Ses cheveux blanc argenté lui tombaient sur les épaules, et il était vêtu d'un élégant costume foncé agrémenté d'une pochette en soie. Sur le trottoir, il dégaina son téléphone portable et s'accroupit devant la bouche d'aération du métro pour regarder à travers la grille.

Alistair étouffa un cri et marmonna dans sa barbe quelque chose qui ressemblait à « bye », puis il les attira précipitamment dans l'ombre.

— Bye ? répéta Dan. Vous n'allez pas encore nous fausser compagnie quand même ?

L'homme aux longs cheveux blancs remonta dans la voiture qui démarra en trombe et s'éloigna aussitôt.

— C'était qui ? insista le garçon. Le roi des yakuzas ?

— Il faut…

La voix d'Alistair s'étrangla.

— Il faut qu'on se dépêche. Ouvrez toutes les boîtes. Vite.

Au prix de gros efforts, Dan réussit à ôter le couvercle du cylindre, libérant un flot de clous, vis, rivets et écrous.

— Formidable…, commenta Ian en sortant une panoplie d'outils de la boîte rectangulaire. J'adore le bricolage.

Alistair lâcha un soupir exaspéré.

— Si ça se trouve, la cachette que nous avons découverte n'était qu'un atelier muré après les travaux et oublié depuis.

— Des ouvriers qui laissent de mystérieux haïkus au milieu de leur matériel, c'est un peu bizarre, non ? fit valoir Amy en arrachant le couvercle d'une sorte de prisme. Oh, regardez !

À la lueur d'un réverbère, elle en tira un long rouleau de papier. Alors que les autres s'attroupaient autour d'elle, Dan dirigea le faisceau de sa torche sur le texte : les caractères tracés à l'encre noire, dans une calligraphie élégante, étaient entourés d'un paysage inachevé, aux teintes fanées, qui représentait un promontoire rocheux au milieu des collines.

Alistair entreprit de traduire :

– « Sur l'emplacement de la dernière conquête, entre les trois cornes, repose le trésor du peuple. On y accède par l'union des éléments, qui dévoilera le plus précieux. »

– Clair comme du wasabi, commenta Dan.

– Mais… ces caractères dans le bas, ce n'est pas du japonais, remarqua Amy.

Son frère orienta sa lampe vers un groupe de lettres parfaitement reconnaissables :

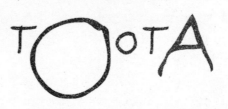

– « Toota », déchiffra Ian. Il s'agit peut-être d'une anagramme du mot « tatoo ». Ce pourrait être un modèle de tatouage ancien…

– De l'anglais sur un parchemin japonais, ironisa Dan. Tu peux faire mieux, Ian, j'en suis sûr.

– La dernière conquête, répéta Alistair d'un air pensif. Oui, c'est ça ! Je sais où se trouve la clé !

– Où ça ? demandèrent les autres en chœur.

Pour la première fois de la journée, un sourire se dessina sur les lèvres du vieil homme.

– Là où Hideyoshi a mené sa dernière campagne et où il a subi sa plus sévère défaite.

– D'accord, répondit Ian. Évidemment. Et c'est… ?

Les yeux d'Alistair étincelèrent.

– Chez moi, en Corée.

10. Destin tragique

Bae. Ce nom autrefois si important pour lui le faisait frémir de rage.

Son oncle Bae était passé tout près. Juste au bout de la rue !

« Ce n'était pas le bon moment », se raisonna Alistair. Il fallait être patient. Prendre le temps d'échafauder un plan.

Il pivota dans son fauteuil pour jeter un coup d'œil à ses compagnons de vol. Les Kabra avaient choisi de regarder une vieille série télévisée sur leurs petits écrans, tandis que Dan et Amy faisaient les mots croisés du magazine de la compagnie aérienne.

Alistair déplia sans bruit la feuille qu'il avait imprimée à la bibliothèque. Il avait dépensé des millions en détectives privés pour retrouver l'homme qui lui avait tout pris, et ils avaient fini par découvrir son identité. Ce respectable vieillard était mort de vieillesse : un tueur à gages qui avait bâti sa fortune grâce à de nombreux meurtres dont il avait gardé la trace dans une chambre forte. Apparemment, il ne jetait rien.

Les mains tremblantes, Alistair étala la lettre sur sa tablette et la relut pour la énième fois :

RETRIEVED, H. H. KOH INVESTIGATIONS, AUG. 25 01:23:52
UPLOADED VPN AUG. 25 03:14:27

OH INDUSTRIES

Le 22 avril 1948

Cher ▨▨▨▨▨▨

    Mon frère arrivera le 11 mai par le vol
Delta Airlines de 15 h 07 à l'aéroport Idlewild
de New York et séjournera au Waldorf Astoria
de Park Avenue, chambre 1501. Une voiture doit
passer le chercher à l'hôtel le 12 mai à 19 h 15 afin
de le conduire à l'Imperia Theater sur Broadway.
Le chauffeur se▨▨▨▨▨▨▨▨.
Il passera par la 45e rue.

    Une fois la mission accomplie, le règlement
sera effectué selon nos accords. Nous attendons
confirmation pour vous verser le montant convenu
de 5000 $.
Lettre à détruire immédiatement après lecture.
Sincères salutations,

Bae Oh,
président-directeur général

Alistair se força à relire chaque mot, contenant avec peine sa colère et son écœurement.

5 000 dollars.

La vie de son père ne valait donc pas plus.

Il savait maintenant exactement ce qui s'était passé à New York. Il conservait dans la poche intérieure de sa veste de vieilles coupures de presse jaunies relatant le fait divers : « New York, 12 mai 1948, Gordon Oh, industriel coréen, a été tué au croisement de Madison Avenue et de la 45e rue alors que sa voiture le conduisait à un spectacle sur Broadway. »

Voilà ce que tous les journaux racontaient : il y avait eu un cambriolage dans un grand magasin. Lorsque l'alarme s'était déclenchée, le voleur, paniqué, avait traversé l'avenue, son arme à la main, et avait essayé de réquisitionner une voiture arrêtée au feu rouge : la limousine de son père. M. Oh avait voulu le maîtriser. Il s'était battu bravement et avait tragiquement perdu la vie. L'homme armé avait disparu, on n'avait jamais retrouvé sa trace.

Son père s'était trouvé au mauvais endroit au mauvais moment. C'était la faute à pas de chance.

Du moins, c'était la version officielle.

Enfant, Alistair n'avait jamais soupçonné qu'il ait pu se passer autre chose. Mais il arrivait que les

127

accidents ne soient pas fortuits et que les tueurs agissent sur commande.

Il avait toujours craint son oncle Bae, le jumeau de son père. Des deux frères, Bae était le fainéant, le mauvais élève, qui passait outre les instructions de la famille Ekaterina, toujours dans l'ombre du gentil Gordon. À l'âge adulte, Bae était devenu le roi du complot et de l'entourloupe, aussi impitoyable que les Kabra dans la gestion de ses affaires.

Avide de gloire et de richesses, il rêvait de mettre la main sur les 39 clés. Quiconque se dressait en travers de son chemin devait être éliminé. Même son propre frère. Tant pis pour sa veuve qui, en apprenant sa mort, avait été tellement bouleversée qu'elle avait dû être hospitalisée. Tant pis pour son fils qui avait du même coup perdu ses deux parents ce jour-là.

Un petit garçon de quatre ans, seul et en larmes, confié à un homme au cœur de pierre qui l'avait ignoré et rabaissé.

Son oncle Bae. Celui-là même qui avait commandité le meurtre.

Du coin de l'œil, Alistair observa les enfants Cahill qui se chamaillaient sur les mots croisés. Dan avait visiblement inventé un mot qui n'existait pas. Ils se disputèrent un instant puis éclatèrent de rire. Il revoyait encore la petite fille de trois ans et son frère, alors nouveau-né. Pourtant onze ans s'étaient écoulés depuis le jour où il avait fait sa promesse à Hope et Arthur. Une promesse presque impossible à tenir.

Les enfants ne s'en souvenaient pas, évidemment. Mais lui, oui. Leurs parents avaient disparu, pour la même raison que les siens. À cause des clés.

Il soupira. Au moins, ils étaient deux.

Alors que lui était seul. Il n'avait plus qu'un unique espoir : obtenir vengeance.

D'une main tremblante, il replia la lettre et la glissa dans sa poche.

Il savait qu'il ne fermerait pas l'œil de tout le vol.

II. En Corée, chez Alistair

La rumeur disait qu'Alistair Oh était ruiné, qu'il avait fait faillite. Mais en voyant sa propriété dans un petit village de la banlieue de Séoul, en Corée du Sud, Amy révisa son jugement sur les tacos à réchauffer au micro-ondes.

– Waouh, le palace ! siffla Nellie lorsque la limousine s'arrêta devant le portail.

Une maison d'un blanc immaculé se dressait au milieu d'une pelouse luxuriante. L'allée principale, bordée de chrysanthèmes orange et jaune, était ombragée de cerisiers et de cornouillers, ondulant sous la brise. Un décor qui invitait à se détendre.

— Où est le bâtiment principal ? s'enquit Natalie en descendant du véhicule.

— Bienvenue chez moi ! fit Alistair en désignant la villa.

Durant tout le trajet, Amy avait remarqué qu'il paraissait un peu éteint, fatigué.

— Ah, derrière cet abri de jardin, c'est ça ? ironisa Natalie.

Son frère lui donna un coup de coude dans les côtes.

— Cette propriété est tout ce qui me reste de ma fortune, leur expliqua Alistair en remontant l'allée.

Ainsi que M. Chung, qui conduit ma limousine, et Harold, mon majordome. Une bonne petite équipe, même si ça n'a rien à voir avec la grandeur d'autrefois.

— Bah, ça va, ça vient, comme on dit, répliqua Ian, philosophe. Même si je n'ai jamais eu à en faire l'expérience, personnellement. Cette maison a de magnifiques, hum… fenêtres ouvragées.

— Merci, elles viennent d'Amérique du Sud, répondit Alistair.

Dan, resté un peu en arrière, glissa à l'oreille de sa sœur :

De belles fenêtres ! Tu as déjà vu un mec de quatorze ans qui s'intéresse aux fenêtres ?

Elle haussa les épaules.

– Tu as jeté un coup d'œil dans le sac ?

– Oui, Rufus et Remus sont bien là.

Amy ôta alors ses chaussures pour gambader dans l'herbe fraîchement coupée. Une brise légère lui caressait le visage. Elle écarta les bras en riant et se mit à courir malgré sa cheville foulée.

– Super ! Ma sœur se prend pour Alice au pays des merveilles ! marmonna-t-il.

Amy se figea net. Oups ! Tout le monde la regardait. C'était exactement comme au cours de danse classique quand elle était petite. Brusquement, elle se sentit ridicule et empotée. Elle baissa les yeux, avec le fol espoir de disparaître entre les brins d'herbe.

– Le sentiment qu'éprouve ta sœur s'appelle le bien-être, expliqua Ian. Tu devrais essayer, Daniel. C'est très agréable.

– Agréable ? Amy ? dit Dan.

Elle lui tira la langue. Ian lui souriait, et, malgré le rouge qui lui montait aux joues, elle lui rendit son sourire. Juste pour énerver son frère.

À l'arrière de la maison, une immense terrasse donnait sur une piscine, entourée d'une vaste pelouse. D'un côté, un ruisseau cheminait entre les rochers d'un jardin paysager pour alimenter un bassin plein de poissons rouges. De l'autre, une épaisse haie s'étendait à perte de vue.

– Je dois cette merveille à ma recette de tacos Tentation Texane 100 % bœuf, dit Alistair en désignant le jardin.

– Adorable, commenta Natalie. C'est fou tout ce qu'on peut faire dans un espace réduit.

Le vieil homme haussa un sourcil.

– Évidemment, c'est sûrement minuscule comparé au domaine des Kabra.

– Nous y avons vécu une enfance calamiteuse, intervint Ian. On se perdait sans cesse dans le parc, et il fallait envoyer la meute de caniches pour nous retrouver.

– La meute de quoi ? s'étonna Dan.

Natalie poussa un soupir.

– Certains auraient sûrement mal supporté tout ce luxe, mais quand on n'a rien connu d'autre, on s'y fait très bien.

Un majordome en uniforme vint poser son plateau chargé de rafraîchissements sur une table de jardin.

– Merci, Harold, fit Alistair.

Le domestique s'inclina avant de rentrer à l'intérieur.

– Si tout avait fonctionné selon les plans de Toyotomi Hideyoshi, nous serions en terre japonaise. Il avait l'intention de conquérir tout l'est de l'Asie et, jusque-là, il n'avait connu aucun revers. On raconte qu'il voulait bâtir son plus grand palais ici, en Corée, pour y élever un héritier qui reprendrait les rênes du royaume. Il avait fait construire des caches secrètes et des chambres fortes un peu partout. C'est l'un des plus grands collectionneurs de l'histoire…

– Il me plaît bien, ce type ! s'écria Dan.

– Selon la légende familiale, il aurait eu en sa possession l'un des objets les plus précieux au monde, l'une des 39 clés que nous cherchons toujours, cinq siècles plus tard.

Il soupira.

– Aucun membre du clan Ekaterina ne l'a dénichée. Personne ne s'est jamais douté qu'elle pouvait se trouver en Corée. Mais si nous parvenons à déchiffrer le parchemin, il devrait nous y conduire.

– Génial. On y va ? s'impatienta Dan.

Alistair étouffa un bâillement.

– Après un vol aussi long et inconfortable, je ne suis – hélas ! – pas en état de réfléchir. Auriez-vous la bienveillance d'accorder à un vieillard fatigué une demi-heure de sieste dans son propre lit ? Harold vous servira de quoi vous restaurer pendant ce temps.

Je vous demande juste de rester dans les parages et de ne pas vous éloigner.

– Bien sûr, acquiesça Amy.

Avec un petit signe de la main, Alistair rentra à l'intérieur.

– Encas, rafraîchissements, magazines, télé, internet, console de jeux ? proposa le majordome.

Dan bondit sur ses pieds.

– Vous avez *World of WarCraft* ?

– Deuxième porte à droite, répondit Harold en souriant.

Tandis que le garçon filait dans la maison, Natalie s'allongea dans un transat pour feuilleter l'édition coréenne du magazine *Riches et Célèbres*. Nellie s'installa à côté d'elle avec son iPod sur les oreilles.

Ian contemplait le jardin.

– C'est quoi, à ton avis ? demanda-t-il.

– Q-q-quoi ? bégaya Amy.

Il désigna la haie touffue où s'ouvrait un étroit passage.

– Un labyrinthe ? Tu viens, on va voir ?

– N-non, je ne préfère pas.

– Pourquoi ? On n'a rien d'autre à faire.

Il avait une drôle d'expression. Comme si elle venait de refuser une glace au chocolat ou un billet de loto gagnant. Comme s'il n'avait jamais envisagé que quelqu'un puisse lui dire non.

– Alistair nous-nous a recommandé de ne pas nous éloigner, expliqua-t-elle en fourrant ses mains dans ses poches.

Ian pencha la tête d'un air taquin.

– Moi qui te prenais pour une aventurière sans peur et sans reproche !

– Tu parles, répliqua-t-elle avec toute l'ironie dont elle était capable, tentant de cacher le frisson qui la parcourait.

Il haussa les épaules.

– Bon, tant pis pour toi.

Elle dut se retenir de lui courir après.

« Qu'est-ce que je fabrique ? »

C'était un pauvre type. Le pauvre type des pauvres types. Pire, l'archétype du pauvre type. Pour quelle raison l'aurait-elle suivi ?

Ses doigts se refermèrent sur la pièce qu'il lui avait donnée. Elle la tira de sa poche et la lança en l'air.

– Pile, je reste là, face, je viens.

La pièce retomba avec l'étrange symbole sur le dessus. Mais était-ce pile ou face ?

Ian poussa un soupir déçu.

– Dommage !

Tandis qu'il se dirigeait vers la haie, sa chevelure de jais scintillant au soleil, elle tourna les talons, et rentra dans la maison.

– AAAAAAAAAH !

Réveillé en sursaut par ce hurlement, Alistair sortit comme un diable de sa chambre, pieds nus. Il passa en trombe devant Amy qui buvait un jus d'orange dans la cuisine.

Elle le suivit dehors, Harold et Dan sur les talons.

Ils entendirent des grognements, des bruissements, et, soudain, Ian surgit de la haie, paniqué.

– Au secours !

Il avait perdu une chaussure et tentait d'échapper à un énorme chien, croisement improbable entre un pitbull, un danois et… sans doute un ours brun.

– Qu'est-ce… ? balbutia Alistair. STOP ! ASSIS !

– Je ne peux pas m'asseoir ! protesta Ian. Il m'a mordu les fesses !

Nellie sourit.

– Non, sans blague ?

Alistair traversa la pelouse en boitillant et agita l'index en direction de la bête qui baissa la tête, toute penaude.

– C'est comme ça que tu m'accueilles, mon toutou ? gronda-t-il. Tu es un vilain, vilain chien, Snoopy !

– Snoopy ? répéta Dan, incrédule.

– *GRRRRRRR.*

– Attention, il est très susceptible à ce sujet, prévint le vieil homme.

– Je vais porter plainte contre vous, menaça Ian. Et votre chien. Et votre satané pays ! Et... et...

– Le paysagiste ? proposa Natalie.

– Et votre paysagiste ! cria son frère.

– Snoopy est une vraie crème de chien, répliqua Alistair en fronçant les sourcils, tant qu'on ne la prend pas par surprise.

– *Ouaf ! Ouaf* ! aboya Snoopy dans une pluie de bave.

– Il est troooop mignon ! fit Nellie, attendrie.

– C'est un pantalon sur mesure en soie persane ! explosa Ian.

Il se tourna révélant un accroc de taille qui laissait voir son caleçon blanc imprimé de petits dollars roses, puis fit volte-face en bafouillant :

– Enfin... hum... bref !

– Charmant, commenta Nellie.

– La ferme, ordonna Natalie, qui se mordait les lèvres pour ne pas rire.

– Je ne vois pas ce que vous trouvez drôle ! reprit Ian, rouge de colère et de honte. Et croyez-moi, vous n'allez pas rire longtemps, Alistair. Je vous ruinerai ! Je vais vous mettre à genoux…

– Excusez-moi, jeune homme, le coupa sèchement ce dernier, mais je suis bien trop vieux pour me laisser impressionner par un galopin qui me tire d'une sieste bien méritée à cause de ses bêtises. Pourquoi êtes-vous allé fouiner alors que je vous avais recommandé de rester tranquillement ici ?

– Mais aussi quelle idée de planter un molosse au milieu d'un labyrinthe ? répliqua Ian. Qu'est-ce que vous cachez là-dedans, Alistair ?

L'intéressé s'éclaircit la voix. Tirant un peigne de sa poche, il se recoiffa comme s'il avait un rendez-vous d'affaires.

– Bien, l'heure est venue de passer aux choses sérieuses, il me semble. Monsieur Kabra, peut-être souhaitez-vous vous changer auparavant ?

Il lança par-dessus son épaule :

– Harold, pouvez-vous désinfecter les blessures de ce jeune homme, je vous prie ?

Ian pâlit.

– Je vais le faire moi-même, déclara-t-il en rentrant à l'intérieur.

Nellie se laissa retomber sur sa chaise longue, son tube de crème solaire à la main.

– Prévenez-moi quand on y va.

Alors que le petit groupe se faufilait dans un interstice de la haie, Amy remarqua l'expression peinée de son cousin. Harold lui avait prêté un pantalon d'uniforme deux fois trop grand pour lui.

– Ça gratte, marmonna-t-il.

– Et voilà, il faut toujours prévoir un pantalon de rechange, se moqua Dan, qui décampa en gloussant par peur des représailles.

Ian se tourna vers Amy et se força vaillamment à sourire.

– C'est la morsure qui me démange, pas le pantalon.

– Il… Il aurait d-dû…, balbutia-t-elle.

C'était affreux. Les mots restaient coincés dans sa gorge.

– Alistair aurait dû me prévenir, compléta Ian. Oui, c'est aussi mon avis.

– Mm, acquiesça-t-elle en tripotant nerveusement son collier de jade.

– Toi, tu m'avais averti, j'aurais dû t'écouter, reprit-il plus doucement.

– Hum…

Elle sentit une bouffée de chaleur lui monter aux joues.

– Bah, ça sera juste un peu douloureux pour s'asseoir, fit-il en riant.

Amy baissa la tête, comptant le nombre de pas qu'elle faisait par rapport à lui. Il avançait à grandes enjambées.

Ils ne mirent pas longtemps à rattraper les autres. Allstair s'était arrêté devant la haie pour glisser la main à l'intérieur.

Dan jeta un coup d'œil à sa sœur.

« Qu'est-ce que tu bricoles ? », semblait-il dire.

Il fixa Ian d'un regard accusateur. Amy se détourna.

Elle avait très bien compris ce qu'il pensait. Et le pire, c'est qu'il avait raison. Ce qui l'énervait au plus haut point.

Alistair écarta les broussailles pour révéler une porte ornée d'une petite plaque ronde en fonte.

Tout le groupe – y compris Snoopy – s'approcha pour mieux voir – sauf Snoopy qui se contenta de baver.

Sur la plaque était gravé le chiffre 5005. En dessous se trouvaient un gros verrou ainsi qu'un cadran numéroté de 1 à 30, comme sur un coffre-fort.

– Et voici le fameux taco Brochette croustillante de porc au barbecue, mes enfants, les informa Alistair.

Dan leva les yeux au ciel en marmonnant :

– Pauvre vieux, il est resté trop longtemps au soleil.

– Je veux dire que c'est cette succulente recette de mon invention qui a financé cette acquisition, expliqua leur oncle. Une combinaison à quatre chiffres ouvre cette porte. Vous possédez toutes les informations nécessaires pour la deviner. Vous avez droit à trois tentatives. Je peux vous fournir un indice, mais ça comptera comme un essai.

Ian fronça les sourcils. Il se creusait visiblement les méninges.

Amy prit une profonde inspiration. 5005. Ce n'était pas un chiffre ordinaire.

– Il s'agit d'un palindrome, annonça Ian. On peut le lire dans les deux sens. Ce n'est sûrement pas anodin.

– Si on le retourne, ça fait 2002, proposa sa sœur.

Dan laissa échapper un soupir agacé.

– L'intelligence ne s'achète pas, dommage pour vous. C'est d'une simplicité enfantine.

– Comment ça ? s'étonna Ian.

– Ne réfléchis pas trop. Oncle Alistair a dit que nous avions toutes les informations nécessaires.

Dan fit pivoter le cadran sur 5, 0, 0 et encore 5, puis il tourna le verrou. En vain.

– Plus que deux essais, annonça Alistair.

Ian fusilla son cousin du regard.

– Réfléchir avant d'agir, ça t'arrive parfois ?

– Si on prenait l'indice ? suggéra Natalie.

– Bien, fit le vieil homme. C'est une devinette :
« Mon premier n'est pas facteur, ni mon deuxième
d'ailleurs, mais les quatre autres facteurs sont premiers. »

Un silence perplexe accueillit sa phrase.

– On dirait une charade, remarqua Dan.

Il se concentra intensément, les sourcils froncés.

– Des postiers qui font une course... À quelle
heure a lieu la levée du courrier ?

Ian haussa les épaules.

– Aucune idée. Chez les Kabra, on ne se soucie
pas de ces choses-là. Nous avons nos coursiers
privés.

– Huit heures, midi, seize heures et dix-neuf
heures, non ? On pourrait essayer 8, 12, 16, 19 ?
suggéra Dan.

Alors qu'il tendait la main vers le cadran, Alistair leur rappela :

– Attention, il ne vous reste plus qu'une seule
tentative. Si vous échouez, c'est fini, vous n'entrerez
pas.

Le garçon se figea.

– Je ne sais pas, alors. Aidez-moi un peu.

Comme les autres ne répondaient rien, il décréta :

– Bon, j'y vais.

– Non ! s'écria Amy.

Elle n'était sûre de rien, mais cette devinette ressemblait beaucoup aux énigmes du *New York Times*. Il y avait un sens caché derrière tout ça.

– Je crois que j'ai une idée.

Son frère se tourna vers elle, stupéfait.

– Hé, c'est moi le champion des énigmes. Laisse-moi faire, c'est mon rayon.

Elle recula. Il avait sans doute une intuition. Son frère repérait toujours des détails qui échappaient à tout le monde. C'était un génie des chiffres. Il avait résolu le carré magique gravé sur les crânes des catacombes à Paris. Il avait décodé le message caché dans la partition de Mozart.

Mais bizarrement, aujourd'hui, il n'était pas lui-même. Il fixait Ian d'un regard assassin. Sa présence le perturbait et il n'arrivait pas à réfléchir.

– Je pense vraiment que j'ai la solution, insista-t-elle.

Alistair sourit et lui fit signe d'approcher du cadran.

Elle s'avança, évitant de croiser le regard incrédule de son frère.

– Eh bien, je pense que le terme « premiers » désigne les nombres premiers. Et donc « facteurs » ne signifie pas postiers mais...

– Multiplication ! claironna Dan.

– Il faudrait donc mettre en facteur des nombres premiers, reprit-elle. Pas le premier, ni le deuxième, mais les suivants.

– Qui sont 5, 7, 11 et 13, intervint Dan, ce qui fait bien 5005.

– Un peu tiré par les cheveux, mais bien vu, commenta Ian.

– J'ai horreur des maths, grogna Natalie.

D'une main tremblante, Amy fit pivoter le cadran avec précaution.

5, 7, 11, 13

Clic.

Elle tourna le verrou, et la porte s'ouvrit.

– Bienvenue dans le sanctuaire des Oh ! lança Alistair.

12. Le sanctuaire des Oh

« Petit, sombre et miteux, comme les calamiteux Ekaterina... », estima Ian en pénétrant dans le minuscule réduit.

Il sourit. C'était une vieille blague familiale.

Dan contemplait les murs couverts d'étagères du sol au plafond, l'air abattu.

– C'est pour ça que vous avez adopté cette bête féroce, ce monstre avide de chair humaine ? demandat-il. Pour garder l'entrée d'une bibliothèque poussiéreuse ?

Amy promenait au contraire un regard admiratif sur les rayonnages.

– C'est… magnifique !

Elle était vraiment étonnante. Attentive aux autres, pleine de modestie. Ian n'avait pas l'habitude de fréquenter ce genre de personnes, surtout pas parmi ses adversaires dans la course aux 39 clés. Bien entendu, on lui avait appris à les éviter comme la peste. « GDL », aurait commenté son père : « graine de losers ». Et les Kabra ne perdaient jamais.

Pourtant, Amy le fascinait. Sa joie simple lorsqu'elle gambadait sur la pelouse, son émotion en pénétrant dans ce trou à rats… il n'aurait jamais imaginé qu'on puisse se réjouir de si peu. Cela suscitait chez lui une sensation nouvelle : un vague écœurement, comme une crise de foie, mais en plus agréable.

« Bah, il a suffi d'un accroc à mon pantalon, et voilà que je verse dans la sensiblerie », pensa-t-il.

Il considéra les étagères surchargées, les murs lambrissés de chêne, le fauteuil en cuir craquelé, les hideux néons au plafond, les crottes de souris dans les coins, les moulures éraflées et les tableaux qui avaient dû être achetés dans une vente de charité pour daltoniens. Il ne voyait vraiment pas ce qu'elle pouvait trouver magnifique.

– Des livres, des livres et encore des livres, grommela Dan.

Pour une fois, Ian était plutôt d'accord avec lui.

– Des ouvrages rares, corrigea Alistair en désignant une vitrine. C'est l'une des plus grandes bases de données sur la famille Cahill, riche de documents uniques. La passion de toute une vie. Et notre plus grande chance de déchiffrer ce parchemin !

Ian allait s'asseoir, mais il se ravisa, se souvenant qu'il avait le postérieur endolori. Il n'était pas non plus à l'aise debout avec ce pantalon en synthétique qui le démangeait comme du papier de verre. Et les jérémiades incessantes de Dan n'arrangeaient rien.

Il ne supportait pas ce gamin. Au moins, sa sœur était… disons, intéressante. Il se demandait si sa naïveté était contagieuse.

Ce serait dramatique. Cependant, il proposa :

– On pourrait travailler en équipe. Le premier qui trouve un indice ! Amy et moi, nous nous chargeons des deux étagères du haut tandis que Dan et Natalie s'occupent de celles du bas.

– Parfait ! commenta Alistair. Tu es d'accord, Amy ?

– Euh…, bafouilla-t-elle en évitant de croiser le regard de son cousin. C'est-à-dire que…

« Quel dommage ! », pensa Ian. La plupart des individus de sexe féminin réagissaient ainsi en sa présence. Incapables d'aligner deux syllabes. Cela limitait sérieusement la conversation.

– Je n'ai jamais fait équipe avec un non-Kabra, mais je vais essayer de ne pas me cabrer, répondit Natalie en souriant, épatée par sa propre vivacité d'esprit.

Dan examinait un tableau hideux, représentant un couple que Ian connaissait bien. L'homme avait les cheveux gris, en bataille, des sourcils broussailleux et le regard hagard. Sa femme avait un visage osseux, assez chevalin, avec une mâchoire proéminente et de grandes oreilles. Au-dessus de leurs têtes flottaient toutes sortes de symboles étranges.

– Qui est ce mignon petit couple ? voulut savoir Dan.

– Ah, Gidéon et Olivia, les tout premiers Cahill ! Ils ont vécu au début du XVIe siècle, répondit Ian. Vos ancêtres.

– Le sang Kabra a grandement amélioré la lignée, ajouta Natalie.

– Attention, à vos marques...

Alistair étala le parchemin sur la table, puis prit un ouvrage sur une étagère en annonçant :

– Je vais aider l'équipe des plus jeunes. Allez ! Prêts, partez !

Ian fit courir son index sur le dos des livres. Certains portaient des titres manuscrits : *Historicus Cahilliensis : Ekaterina – Vol. I, Bibliographie com-*

mentée des écrits Cahill du XVIIIe siècle, *L'architec-*
ture ekaterinienne… Il y avait des brochures, des
notes, des feuilles volantes. Ils allaient avoir du mal
à trouver une information exploitable dans cette
paperasse.

Amy tira un épais volume intitulé : *Aux origines*
des Cahill : compilation des recherches actuelles.

– On est censés trouver un indice, pas prendre un
cours d'histoire, fit remarquer Dan.

– Mais on en sait si peu sur la famille Cahill,
objecta sa sœur.

Natalie leva les yeux de l'ouvrage qu'elle était en
train de feuilleter.

– Je ne comprends pas pourquoi vos parents ne
vous ont jamais dit à quelle branche vous apparte-
niez. Nous, on était au courant avant même de faire
nos premiers pas.

Ian vit le visage d'Amy se décomposer. Sa gorge
se serra. Misère, il éprouvait de la compassion –
émotion qu'il réservait d'habitude aux courtiers
Kabra les jours où la Bourse se portait mal. Pourtant le sentiment était bien là… plus poignant,
même.

Il donna un coup de pied à sa sœur.

– Natalie, enfin ! Quel manque de… grâce !

Elle lui jeta un regard surpris avant de saisir
l'allusion.

– « L'arbre généalogique des Cahill à partir du génial Gidéon Cahill et de sa femme Olivia », lut Amy à haute voix.

Alistair l'encouragea d'un signe de tête. Sa nièce était tellement émue qu'elle butait sur chaque mot.

– « Certains affirment que Gidéon avait fait une découverte susceptible de changer l'avenir de l'humanité, poursuivit-elle. Mais la véritable nature de ses recherches demeure un mystère. En 1507, un incendie a ravagé la demeure des Cahill à Dublin. Les flammes n'ont fait qu'une seule et unique victime : Gidéon, soucieux de préserver l'œuvre de sa vie, a été retrouvé carbonisé dans son bureau. »

– On a vraiment un problème avec le feu, dans la famille, murmura Dan.

Alistair avala sa salive. Si jeunes, ses neveux avaient déjà vécu de telles tragédies – un premier incendie leur avait arraché leurs parents, puis un autre avait détruit le manoir de leur grand-mère.

Il comprit alors pourquoi il n'avait jamais voulu d'enfants. Il se serait inquiété pour eux. Et ce ne pouvait être qu'un handicap dans la course aux 39 clés.

« Selon les recherches les plus récentes, à sa mort, Gidéon aurait travaillé sur les secrets de l'alchimie, continuait Amy. Il était à la recherche d'un élément essentiel : la "pierre philosophale". Cependant cette substance n'existait pas encore. Plus parfaite que l'or, cette pierre, aussi connue sous le nom de "alkahest", était censée posséder le pouvoir de changer les autres matériaux en or. »

– Merci, madame Je-sais-tout, fit Dan en fourrageant dans une pile de paperasse. Captivant. Maintenant, tu pourrais essayer de lire dans ta tête ?

– Mais enfin, vous ne comprenez pas ! s'écria-t-elle en se relevant d'un bond. On a réussi !

– Réussi quoi ?

Elle prit son frère par la main et se mit à danser comme une gamine de trois ans.

– Gidéon avait bien fait une découverte qui allait changer l'avenir de l'humanité. Il avait trouvé le secret de la pierre philosophale. On a les 39 clés !

– Quoi ? s'étonna Ian. Tu peux déchiffrer le parchemin ? Tu as trouvé le code ?

– Non, encore mieux que ça, affirma Amy.

Natalie se laissa tomber rageusement sur une chaise.

– Alors on a perdu ? J'ai horreur de travailler en équipe.

Écartant les Kabra qui lui bouchaient la vue, Alistair regarda par-dessus l'épaule d'Amy. La jeune fille désigna un tableau des éléments alchimiques :

Puis elle tira la pièce de sa poche.

— Regardez, elle porte le symbole de la pierre philosophale.

— Cool, souffla Dan. Et alors ?

— Mais enfin, vous ne comprenez pas ? répéta-t-elle. Cette page est la clé de l'énigme, la clé des 39 clés !

– Donc... si on les réunit tous..., commença Dan, le sourire aux lèvres.

– Nous obtiendrons l'élément central de l'alchimie : la pierre philosophale !

La jeune fille se pencha de nouveau sur le livre.

– Reste à trouver à quoi sert la pièce, fit-elle en la rangeant dans sa poche. Écoutez... « Après l'incendie de 1507, les enfants de Gidéon et Olivia, Thomas et Kate, quittèrent l'Irlande pour immigrer en Angleterre cachant dans leurs bagages ce qui restait de l'œuvre de leur père, en vue de la poursuivre. Thomas se maria, fonda une famille, et commença à négliger sa sœur ainsi que la mission qu'ils s'étaient fixée. Furieuse, Katherine s'enfuit, en emportant quelque chose de si important que Thomas abandonna tout pour se lancer à sa poursuite. Après avoir écumé Paris, Venise et Le Caire, il cessa ses recherches. Attiré par la culture des samouraïs, il s'installa au Japon, où il mena une vie modeste. Son fils cadet, Hiyoshimaru, devint celui que l'on connaît sous le nom de Toyotomi Hideyoshi. »

– Le Rat chauve était le fils de Thomas, le fondateur de la branche des Tomas ! s'étonna Dan. Intéressant !

Alistair jeta un coup d'œil aux Kabra. D'un air sarcastique, ils regardaient leurs cousins découvrir des détails que les autres concurrents connaissaient depuis longtemps. Ils avaient du mal à contenir leur impatience. Car malgré leur ignorance, Amy et Dan s'étaient plutôt bien débrouillés pour trouver des indices qui avaient échappé à leurs adversaires.

Et ils tenaient visiblement une piste.

– On ne pourrait pas aller directement à la case départ et empocher nos deux cents dollars en sautant les passages qu'on connaît déjà ? fit Natalie en bâillant.

– T'as qu'à te bouger un peu au lieu de rester assise ! répliqua Dan. On continue à chercher. Plus que 37 clés, et le secret de l'alchimie est à nous !

Il se retourna pour remettre un livre à sa place et en sortir un autre. Un vieil ouvrage posé en équilibre au bout de l'étagère tomba par terre.

Alistair se précipita pour le ramasser.

– Attention ! Ce sont des documents précieux !

Il examina les délicats caractères japonais calligraphiés sur la couverture.

– Ce petit bijou a cinq siècles. Il a été découvert par un seigneur de guerre ennemi dans la tente de Hideyoshi au cours d'une bataille.

– Et que raconte-t-il ? voulut savoir Dan.

Alistair ajusta ses lunettes.

– La couverture indique « Hideyoshi, neuf ans ». Il s'agit peut-être d'un carnet de croquis ou d'un album de coloriage de son enfance.

– Attendez…, intervint Amy. Dans ce cas, pourquoi aurait-on « Hideyoshi » ? On ne l'appelait pas ainsi quand il était petit, il me semble.

Son oncle acquiesça.

Bien vu ! Son prénom était effectivement Hiyoshimaru ! S'il s'agissait vraiment d'un de ses livres d'enfant, c'est le nom qu'on y lirait.

Amy lui prit le document des mains et le feuilleta avec précaution. Paysages, scènes de bataille, monstres. Les autres s'attroupèrent autour d'elle pour regarder. Alistair remarqua que Ian Kabra lui frôlait délicatement l'épaule.

– C-c-c'est trop b-b-bien dessiné pour un enfant de neuf ans…, bégaya-t-elle.

Elle arriva à une page couverte d'étoiles et de traits en tous sens, d'allure beaucoup plus moderne.

– En revanche, voilà un gribouillage de gamin, affirma Natalie.

– Hideyoshi… neuf ans…, répéta pensivement Dan. Hé, c'est justement la page neuf !

Soudain, sans dire un mot, sa sœur l'arracha vivement.

Alistair faillit avoir une crise cardiaque.

– Amy… enfin ! Il s'agit d'un ouvrage d'époque !

Elle se pencha sur la table pour placer la feuille déchirée au-dessus du parchemin. Elles s'assemblaient parfaitement. Alors que la plupart des lignes dessinaient un paysage rocheux, d'autres traits, plus courts et serrés, semblaient former des caractères coréens.

Le vieil homme comprit ce qui avait motivé son geste.

– Les trois cornes, murmura-t-il.

– C'est-à-dire ? le questionna Dan.

– Ha ! ha !

Alistair serra sa nièce dans ses bras. Cette gamine était vraiment extraordinaire.

– Grâce à Amy, je sais où nous devons nous rendre. Nous partirons demain à l'aube !

13. Dangereuse randonnée

Dan colla son front contre la vitre de la voiture, le cœur au bord des lèvres. Ils s'étaient levés aux aurores pour se rendre à Bukhansan et, à chaque virage, il menaçait de recracher son petit déjeuner.

Au nord de Séoul, ils virent se dresser devant eux un massif montagneux dominé par trois pics.

– Les trois cornes, murmura Alistair. Je viens seulement de comprendre !

– Gloups…

Dan ferma les yeux et s'enfonça sous l'immense capuche du sweat que lui avait prêté son oncle.

161

Amy regarda par la fenêtre. Sur le ciel gris et brumeux, la montagne semblait particulièrement escarpée. Elle avait un pique-nique dans son sac à dos, mais elle se demanda finalement si l'ascension n'allait pas plutôt durer plusieurs jours.

— Faut qu'on grimpe là-haut ? s'étonna Nellie. Je vous signale que je suis en sandalettes.

— Les Kabra sont toujours prêts à défier les sommets, affirma Natalie en époussetant ses tennis roses incrustées de strass.

— Ça ne fait que huit cents mètres d'altitude. Mais de toute façon, nous n'allons pas faire d'escalade à mon avis, les rassura Alistair en consultant l'assemblage du parchemin et du dessin étalé sur ses genoux. Je présume que cette ligne qui serpente sur la carte représente la muraille de la forteresse, elle traverse la plaine.

— Et ça, c'est quoi ? demanda Dan en désignant un gribouillis étrange.

— Oh… un M, répondit Nellie, ou si on le regarde dans l'autre sens un W. Ou bien, vu de côté, une sorte de S…

— Ça pourrait aussi être des palmiers, intervint Dan. Comme dans le film *Un monde fou, fou, fou, fou*. Vous connaissez ? Non ? Bon, les héros cherchent un trésor et leur seul indice, c'est qu'il se trouve en dessous d'un grand W. Personne ne comprend ce que ça veut dire, mais à la fin du film, ils arrivent devant un bosquet de quatre palmiers qui forment... un W ! Génial, non ?

Les cinq autres lui jetèrent un regard exaspéré.

— Il n'y a pas de W en coréen, désolé, répondit Alistair. Pas plus que de palmiers en Corée, d'ailleurs. On a plutôt des érables.

— *Mrraw*, fit Saladin en se frottant contre la jambe de Dan.

— Je te raconterai la suite plus tard, mon pote, lui promit celui-ci en le caressant.

Le chauffeur d'Alistair les déposa sur le parking. Un groupe de touristes s'était déjà attroupé devant le plan du parc national de Bukhansan, qu'Alistair compara attentivement avec son montage. Il suivit la ligne tortueuse du doigt, en s'arrêtant devant différents symboles.

— Je suppose que ce sont des temples. Et ce grand X, ce doit être notre trésor...

— Alors il est caché entre deux temples, remarqua Natalie. Mais lesquels ?

Le vieil homme poussa un profond soupir, découragé :

— Il y en a tellement. Et ils sont très éloignés les uns des autres. Ça risque de nous prendre plusieurs jours.

— Alors en route ! décréta Dan.

– Il faut que quelqu'un reste ici avec Saladin et M. Chung, affirma Nellie en fixant la montagne d'un œil méfiant. OK, OK, n'insistez pas, je me dévoue !

Les autres s'engagèrent sur un sentier visiblement très fréquenté.

– Hideyoshi a conquis la plus grande partie de ce qui est devenu la Corée du Sud, leur expliqua Alistair, y compris Séoul, qui se nommait alors Hanseong. Mais l'armée a résisté et a bâti cette muraille pour empêcher l'invasion.

– Alors pourquoi Hideyoshi aurait-il enterré ses trésors par ici ? voulut savoir Nellie.

Alistair haussa les épaules.

– Afin qu'ils soient à l'abri de la muraille, peut-être. Il pensait avoir conquis ce territoire pour toujours.

– C'était présomptueux de sa part, commenta Ian.

– Ça me rappelle quelqu'un, murmura Dan.

Au fur et à mesure qu'ils s'enfonçaient dans le parc, ils croisaient de moins en moins de randonneurs. Chaque fois qu'ils arrivaient à un temple, Alistair vérifiait sur son montage et secouait la tête.

Le dos trempé de sueur, hors d'haleine, il se laissa finalement tomber sur un muret de pierres.

– Pause déjeuner ! annonça-t-il en tendant le plan à Amy. Tu veux bien ranger ça dans ton sac, s'il te plaît ?

– On vient juste de se mettre en route ! protesta Ian en grimpant sur le mur, son pantalon trop grand gonflé par le vent.

Natalie s'assit avec joie à côté du vieil homme.

– Vous n'auriez pas, à tout hasard, un sandwich mozzarella de bufflonne, tomates séchées, pesto dans un petit pain italien aux céréales ?

– J'ai une brioche fourrée beurre de cacahuètes, banane, si tu veux, proposa Dan.

Alistair observait les environs avec attention.

– J'ai peur qu'on soit passés devant sans s'en rendre compte. La muraille a peut-être été déplacée au cours des siècles. Si ça se trouve, le plan n'est plus à jour.

En refermant son sac à dos, Amy sentit quelque chose rebondir sur son crâne – un morceau de mousse qui atterrit à ses pieds.

– Hé !

Ian s'épousseta les mains en riant.

Il riait. Mais surtout, il la fixait d'un regard moqueur qui la pétrifia. Comme s'il préparait une remarque cinglante à la Kabra. Il voulait la ridiculiser devant tout le monde.

Elle ravala ses larmes, luttant contre l'envie de s'enfuir ou de se réfugier dans un trou de souris.

– Vas-y, renvoie-lui dans la figure ! l'encouragea son frère.

Ian mit ses mains en porte-voix pour crier :

– Amy ! On fait la course ? Le premier arrivé en haut du gros rocher : je te laisse deux minutes d'avance, d'accord ? À moins que tu ne sois trop empotée ?

– Ma sœur n'est pas une empotée ! répliqua Dan. Enfin, juste un peu.

La jeune fille se leva. C'était déjà assez désagréable de se faire humilier par un Kabra, elle n'allait pas laisser son morveux de frère en rajouter.

Elle examina le gros rocher. C'était impossible. Il la défiait pour l'enfoncer encore plus. À moins que...

Oui, il y avait un raccourci, à travers les broussailles.

Elle se mit à courir.

– Amy, laisse-moi ton sac à dos ! lui cria Dan. Et promets-moi que ton premier enfant portera mon prénom.

Elle l'ignora. Elle avait affreusement mal à la cheville, mais il n'était pas question qu'elle laisse Ian gagner. Il démarra à son tour, sautant du muret pour détaler dans un nuage de poussière. Il zigzagua entre les buissons, fonçant vers elle en riant. Amy ôta son sac à dos pour lui en donner un grand coup dans le bras. Il l'avait bien mérité.

– Ouille ! Attention, c'est une chemise de marque !

Le contenu du sac se répandit par terre. Ian saisit le montage, dessin et parchemin assemblés par un trombone, et se hissa sur le rocher en l'agitant dans les airs.

– C'est à moi, maintenant !

– Voleur !

Amy était hors d'elle. Il n'allait pas s'en tirer comme ça. Elle escalada le rocher derrière lui. Ils arrivèrent en haut presque tous les deux en même temps. Il se tourna vers elle, hors d'haleine.

– Pas mal, pour une Cahill !

– T-t-tu…

Elle ne parvenait pas à articuler un mot, comme d'habitude. Le regard moqueur de son cousin l'exaspérait tellement qu'elle était au bord de l'implosion.

– J-j-je…

Soudain quelque chose d'étrange se produisit. Avait-il tourné la tête, haussé un sourcil, elle n'aurait su le dire. Mais elle avait eu l'impression de le voir sous un autre angle. Ses yeux étaient simplement rieurs, pas ironiques. Il ne riait pas d'elle, il voulait la faire rire. Sa colère retomba comme un ballon qui se dégonfle.

– Toi aussi... t'es un Cahill, réussit-elle à répondre.

– Bien vu.

Les yeux de Ian restaient rivés sur elle.

Cette fois, elle soutint son regard. Sans ciller. Cette fois, elle n'avait pas envie de s'excuser, ni de se défendre, ni de s'enfuir. Il aurait pu la dévisager ainsi toute la journée, ça ne l'aurait pas dérangée.

– Hé, Amy ! brailla son frère. Pas de cochonneries. Y a des mineurs dans le public, je te signale. En plus, on meurt de faim et Alistair veut récupérer sa carte.

Rougissante, elle détourna la tête.

– Tiens, fit Ian en lui tendant le montage.

La page qu'elle avait arrachée du livre d'Alistair pendait lamentablement au bout de son trombone. Elle s'empressa de la remettre en place.

Soudain, elle regarda autour d'elle, puis baissa à nouveau les yeux vers la carte.

– Bon sang...

– Excuse-moi ? fit Ian.

Elle vérifia à nouveau. Et encore une fois, pour être sûre. Mais il n'y avait pas d'erreur possible. Le drôle de symbole sur la carte... celui qu'ils avaient du mal à interpréter...

Ce n'était pas des palmiers. Ni des érables.

– Dan ! hurla Amy en sautant du rocher comme un cabri, oubliant complètement sa cheville. Alistair ! Venez tous ! Vite !

Elle se mit à courir tandis que les autres se ruaient à sa rencontre. Elle prit la main de son frère, le tira hors du sentier et le fit monter sur le rocher.

– Dan, je t'adore, tu es génial !

Il lui jeta un coup d'œil inquiet.

– Ian t'a tapée sur la tête ?

– Regarde, fit-elle en désignant les alentours. Qu'est-ce que tu vois ?

Il haussa les épaules.

– Des arbres. Des cailloux. Des crottes de bestioles.

– Le rocher en face de toi, il a quelle forme ? insista-t-elle.

– Il fait une sorte de vague, proposa Ian.

Soudain, Dan s'exclama en bondissant :

– Un W ! Amy tu as trouvé notre W.

Alistair sourit.

– Bravo. Le gribouillis sur la carte était bien un W et il représentait un rocher !

Le plan à la main, Amy sauta de son perchoir et courut jusqu'au rocher en question. Arrivée devant la paroi de pierre, elle écarta les broussailles.

169

– Allez, maintenant qu'on a trouvé le bon endroit, on s'y met tous, ordonna Ian. On cherche une grotte, une entrée secrète…

Les autres se penchèrent, s'accroupirent, s'agenouillèrent pour examiner le rocher de près.

– Regardez ! s'écria Natalie.

Amy la rejoignit en un éclair. En écartant un buisson qui masquait la paroi rocheuse, elle avait découvert une sculpture : un homme aux traits simiesques, avec les yeux perçants et les lèvres minces comme une fente.

– Waouh !

Alistair, impressionné, l'effleura du bout des doigts.

– Le Rat chauve ! C'est une statue de Hideyoshi dans le plus pur style japonais de l'époque.

– Étonnant, commenta Ian en se caressant pensivement le menton.

– Comment on entre ? s'interrogea Dan, penché sur la carte. Car ce bon gros W est en pierre, au cas où vous n'auriez pas remarqué. Il doit y avoir des instructions là-dessus…

Amy et les autres s'attroupèrent autour de lui. Il désigna le bas de la page.

– Vous voyez ces lettres ? Toota. Qu'est-ce que ça veut dire ?

T⬭OTA

– Hideyoshi était le fils de Thomas Cahill. Il lui a peut-être appris l'anglais, suggéra Alistair.

– C'est Toyota ! s'exclama Amy. Je vous assure, ça fait Toyota sans le Y.

– Super, Amy ! s'exclama Dan. La troisième clé est un 4 × 4 enterré sous la montagne.

– Je pense qu'elle a voulu dire que ce parchemin était peut-être un faux, intervint Ian.

– Merci de votre participation, monsieur et madame Kabra, répliqua Dan sans lever les yeux. Mais ce n'est pas un faux, pas du tout.

Il l'étala par terre et sortit un canif de sa poche. Puis avec des gestes précis, il s'attaqua au document.

– DAN ! hurla Alistair.

Amy faillit avoir une attaque, elle suffoqua :

Qu'est-ce que tu fabriques ?

À l'aide des petits ciseaux de son couteau suisse, il avait découpé chacune des lettres. Il les superposa avec précaution : le grand A à l'intérieur du grand O, les deux petits T côte à côte, à l'envers, dans le A et enfin le petit O au centre.

– Le symbole de la pierre philosophale ! souffla Amy, stupéfaite.

Dan acquiesça.

– « On y accède par l'union des éléments », cita-t-il. J'ai réuni les éléments.

Il se tourna vers sa sœur, tout sourire. Il n'avait même pas besoin de parler, elle avait compris.

Elle tira de sa poche la pièce que Ian lui avait confiée. Elle portait le même signe, le symbole de la pierre philosophale.

– Bon, on va donner à ce vieux rat quelque chose à se mettre sous la dent, décréta-t-elle.

Elle glissa la pièce entre les lèvres de Hideyoshi.

Aussitôt, le sol se mit à trembler.

14. Le secret de Hideyoshi

GRRRRROOOMMMBRRR...

Ian sentit ses genoux se dérober sous son poids. La terre tremblait, soulevant des nuages de poussière grise. La main en visière, il aperçut Amy debout devant la statuette qui fonçait vers elle. Son sac à dos entre les pieds, elle semblait pétrifiée.

– Recule !

Il la tira par le col et la plaqua au sol. Les cailloux pleuvaient de partout, mitraillant son dos, ses cheveux.

Il eut une pensée émue pour sa chemise Armani, qui était définitivement fichue. Mais sa première pensée n'avait pas été pour ses vêtements, ni pour la pièce, ni même pour lui.

Il avait d'abord pensé à *elle*.

Et ce n'était pas prévu. Ils avaient envisagé de l'utiliser, de s'en servir pour avancer. Elle n'était qu'un tremplin. Elle était tout simplement...

— Charmante, dit-il tout haut.

Amy leva les yeux vers lui, paniquée, les cils pleins de poussière. Ian lui prit la main, mais elle serra rageusement le poing.

— Je me passerais bien de tes commentaires.

— Quoi ? s'étonna Ian.

— Tu ne peux pas t'empêcher d'être ironique. De faire des petites remarques du genre : « Charmante ! » Tu m'as sauvé la vie. Merci.

— Tout le plaisir est pour moi, répondit-il.

Il baissa la tête et effleura ses lèvres. Juste un instant.

Autour d'eux, l'air s'éclaircissait, le bruit de tonnerre avait cessé. Ian se redressa, lui lâcha la main. La sculpture se dressait maintenant en diagonale, à quelques centimètres de la paroi rocheuse. À sa place, ils découvrirent une ouverture rectangulaire.

Une âcre odeur de moisi s'en échappait.

Alistair fut le premier à se relever, époussetant son pantalon de randonnée soigneusement repassé.

— Le repaire secret de Hideyoshi..., murmura-t-il.

Dan et Natalie s'ébrouèrent, puis le garçon se pencha pour voir à l'intérieur. Il eut un mouvement de recul.

– Pfiou, quelqu'un a oublié de tirer la chasse.

Alistair avait ramassé le sac à dos d'Amy. Il en tira deux lanternes électriques.

Ian aida Amy à se relever.

– Tu as la pièce ? lui demanda-t-il d'une voix douce. On risque d'en avoir encore besoin. Pour refermer la cachette.

– J-je-je…

Elle tapota son jean.

– Je l'ai mise dans ma poche quand ça a commencé à-à remuer…

Alistair lui tendit une lampe.

– Toi et moi, on ouvre la voie, Amy.

Alors qu'elle pénétrait d'un pas chancelant dans la caverne, Natalie échangea un regard avec son frère. Il lui fit un clin d'œil et entra.

« Concentre-toi », se répétait Amy.

Mais elle ne sentait plus que ses lèvres.

La lumière bleuâtre de la lanterne dansait sur les parois de la grotte. L'odeur ammoniaquée des défections animales lui piquait le nez. Visiblement aucun humain ne s'était aventuré ici depuis une éternité. Ses pas s'enfonçaient dans un tapis moelleux de... elle préférait ne pas le savoir. De toute façon, rien n'existait plus que ses lèvres.

Tout s'était enchaîné si vite. La pièce, la cachette, le...

Quoi ? Que s'était-il passé exactement ?

Ian marchait sans bruit à ses côtés. Elle était censée le détester. Jusqu'à hier, elle l'avait toujours haï de tout son cœur. Désormais, elle n'arrivait plus à se rappeler pourquoi. Malgré ce cadre sinistre, elle se sentait le cœur léger, débordant d'une joie infinie.

– Merci, murmura-t-elle.

– De quoi ? demanda-t-il.

– De m'avoir donné cette pièce à Tokyo. Si tu ne me l'avais pas confiée, rien de tout cela n'aurait pu se produire.

Ian acquiesça.

– C'est l'un des plus grands trésors de la famille Kabra. Le bruit courait qu'elle permettait d'accéder à un indice, mais mes parents n'y ont jamais cru. Je la leur ai volée.

Il frissonna.

– Je préfère ne pas imaginer la réaction de mon père quand il s'en apercevra.

Amy tira la pièce de sa poche et la lui tendit.

– Non, non, pas question. Je veux tenir ma promesse, se défendit-il.

– On n'en a plus besoin, fit valoir la jeune fille.

– Merci.

Ian glissa la précieuse pièce dans sa poche, mais ses yeux étaient rivés sur le plafond de la grotte.

Amy ! J'ai vu quelque chose remuer là-haut !

Elle leva sa lampe, éclairant une masse sombre qui voletait dans les airs… et poussa un cri strident.

– À TERRE ! hurla Dan tandis qu'une horde de chauves-souris s'abattaient sur eux.

En piaillant, elles battaient frénétiquement des ailes, effleurant les cheveux d'Amy qui se plaqua au sol. Puis, elles s'enfuirent par une fente étroite, comme une volute de fumée dans un conduit de cheminée.

– Ça va ? s'inquiéta Ian.

Amy hocha la tête.

– J'ai horreur de ces bestioles.

Elle s'assit et promena sa lanterne autour d'elle, éclairant au passage le visage de Ian.

Juste un instant.

Dan poussa alors un nouveau cri.

– Amy ! Fais voir ce truc là-bas.

Il n'avait jamais rien vu d'aussi génial. Plus génial que le lot de jeux vidéo qu'il avait failli gagner à la tombola de son collège.

Alistair et Amy accoururent, et leurs lanternes illuminèrent un amoncellement d'objets. Du plafond pendaient des stalactites encerclant la pile, comme pour la maintenir en place.

Il s'agissait d'un gigantesque tas d'épées entrecroisées qui formaient une tour. Les poignées dépassaient, ornées et serties de joyaux pour certaines, tordues et rouillées pour d'autres, mettant quiconque au défi d'en tirer une... et de faire s'écrouler la pile comme un château de cartes.

– La grande chasse aux sabres de 1588, murmura Alistair. Voilà où ils les ont entassés !

Dan s'enfonça plus profond, vers la gauche, où la caverne paraissait s'élargir. Des quantités de matériel y étaient stockées, à perte de vue. Casques, couronnes, armures, lances, boucliers, selles et étriers semblaient jetés là, en vrac, tandis que des parchemins étaient bien roulés dans leurs caisses. Des robes brodées de pierres scintillantes étaient soigneusement pliées, les statues alignées en rang d'oignons couvertes de poussière. Dans une alcôve, on avait accroché un miroir triangulaire au cadre particulièrement ouvragé. De chaque côté étaient empilées d'énormes malles ornées de joyaux et de signes calligraphiés, toutes fermées par un cadenas massif.

Dan en saisit un. Il se disloqua entre ses mains, rongé par le temps et la rouille. Lorsqu'il souleva le couvercle de la malle, les autres se penchèrent pour voir à l'intérieur.

– Comme on dit au fin fond des États-Unis, banjo ! s'exclama Natalie.

– Hum, il me semble que c'est plutôt « bingo » ! corrigea Alistair. Seigneur, ce doit être le butin de Hideyoshi, tout ce que ses soldats ont amassé en conquérant progressivement le Japon, puis la Corée.

Dan plongea la main dans la malle remplie de pièces d'or. À côté de lui, Amy en ouvrit une autre.

– Des assiettes, des baguettes, des tasses, des bols, des plats… tous en or massif !

– Des bouddhas ! s'exclama Ian en examinant un troisième coffre. Une collection de bouddhas dorés.

– Hideyoshi adorait l'or, expliqua Alistair. Selon la légende, chaque soir, il avalait même quelques gouttes d'or fondu, censées posséder des propriétés magiques.

– Nous sommes riches ! s'écria Ian. Enfin, encore plus qu'avant !

Dan sourit en repensant à l'énigme. « On y accède par l'union des éléments, qui dévoilera le plus précieux. » Et il s'écria :

– Mieux que ça ! On vient de découvrir la troisième clé !

15. Une trahison de plus

Malgré son grand âge, Alistair n'était pas vexé d'avoir été doublé par un gamin de onze ans.

L'or.

Évidemment, Dan avait raison. L'or était l'élément suprême de l'alchimie. Et grâce au symbole de l'union des éléments, ils avaient pu pénétrer dans la caverne. En tant que fils de Thomas Cahill, Hideyoshi avait bien entendu étudié l'alchimie !

Le vieil homme se maudit intérieurement : il aurait dû s'en douter dès le début. Il aurait pu s'éviter bien des tracas, bien des dangers. Tous ces risques inutiles qu'il avait fait prendre à son neveu et à sa nièce !

Mais cela devait arriver.

Il était normal que, à un moment ou à un autre, il tombe sur une clé qu'il connaissait déjà.

Il se força à sourire. Pour Dan et Amy, c'était une découverte fantastique. Ils n'avaient pas passé leur vie entière à courir après ces indices. Tout à leur joie, ils étaient en train de danser avec les Kabra – ce qu'ils appelaient du « hip-hop », des mouvements étranges et dangereux pour les articulations.

Alistair ne quittait pas le jeune Ian des yeux. Les Kabra devaient déjà posséder cette clé. Les Lucian accumulaient les indices depuis aussi longtemps que les Ekaterina, mais sans doute étaient-ils meilleurs acteurs que lui.

– Hourra ! s'écria Ian en soulevant Amy du sol. Je savais que cette coopération entre clans serait fructueuse !

Tandis qu'il la reposait, leurs joues se frôlèrent.

Alistair sentit son sang se glacer. Le marché conclu avec les Kabra s'était révélé payant. Sans leur pièce, ils n'auraient jamais découvert cette grotte. Mais mieux valait que cette alliance prenne fin au plus tôt.

– Si… si on repartait, maintenant ? suggéra-t-il. On pourrait discuter de tout ça devant un bon dîner.

– Pas si vite, intervint Ian.

Il s'écarta d'Amy, les yeux rivés sur le miroir.

Corrigez moi si je me trompe, mais il me semble qu'à chaque fois qu'on trouve une clé, on découvre au même endroit une piste menant à la suivante.

– Tout à fait, répliqua Dan. Mais ne te foule pas un neurone, ça ne sert à rien. T'as les poches pleines de dollars mais pas une seule idée, on ne peut pas tout avoir.

Ignorant le sarcasme, Ian examina le miroir de plus près.

– À votre avis, que signifient ces lettres ?

Alistair le rejoignit, éclairant le cadre triangulaire de sa lampe. Sur deux côtés, d'étranges symboles se mêlaient aux motifs gravés.

– Pour moi, c'est du chinois, déclara Natalie.

– Dites, les gars ! s'exclama Dan. J'ai déjà vu ça quelque part. C'est ce qui était gravé sur le sabre qu'on a trouvé à Venise. Vous vous souvenez, oncle Alistair, quand on regardait les tatouages sur internet ? Je vous ai dit qu'il manquait des lettres. Eh bien, les voici !

– Je ne crois pas qu'elles appartiennent à un alphabet existant, affirma Alistair en passant en revue les treize langues qu'il maîtrisait. C'est peut-être un code secret ?

Natalie entreprit de se coiffer avec une brosse en or.

– Miroir, miroir, dis-moi qui est la plus riche, la plus belle, la plus…

– Mais oui ! s'écria Dan.

Elle rougit.

– Merci. Parfois, je m'étonne moi-même…

– Non, les mots dans le miroir… l'écriture en miroir !

Dan sortit de son sac un critérium et son encyclopédie du cinéma. Il arracha une page blanche à la fin et y recopia les lettres gravées sur le cadre en s'appuyant sur le livre. Puis il tourna la feuille vers le miroir.

Ça ne voulait toujours rien dire.

Amy pencha la tête sur le côté.

– Ces signes sont symétriques, remarqua-t-elle. Le haut de chaque symbole est le reflet en miroir du bas. Et s'il s'agissait de demi-lettres en miroir ? En en regardant qu'une moitié, on va les identifier.

– Plus tiré par les cheveux, tu meurs ! marmonna Dan.

Elle lui prit néanmoins la feuille des mains et effaça la moitié de chaque symbole.

a n⌐ ⊤ ∧ a ⌐ ⎮

Puis elle reforma lentement les lettres :

a h s t k a e l

– Ahstkael…, murmura-t-elle. Ce n'est pas une sorte de petit pain suédois ?

– La clé suivante est en Suède ! s'exclama Natalie. Je vais de ce pas m'acheter un nouveau manteau de fourrure.

Dan se tapotait le menton.

– Hé, les gars, là, ce sont des lettres de notre alphabet. On ne devrait pas plutôt essayer de former des caractères japonais ? Ou coréens ?

– Hideyoshi était le fils de Thomas Cahill, intervint Alistair. On peut supposer qu'il entendait parler anglais chez lui. Il devait le comprendre parfaitement. En plus, à l'époque, utiliser des caractères occidentaux permettait de conférer un niveau de complexité supérieur au code.

Dan s'était remis à griffonner. Il ne cessait de réorganiser les lettres, essayant différentes combinaisons.

KATE LASH
THE SKALA
SALE KATH
SEL ATKHA
LAKE TASH

– Lake Tash ! Le lac Tash, c'est bien ça ? s'exclama Natalie.

Dan acquiesça en murmurant :

– Le lac Tash... Il me semble que c'est au Kirghizistan...

– La quatrième clé se trouve là-bas ? répéta-t-elle, incrédule.

– Génial, conclut Ian avec un sourire satisfait. J'ai beaucoup apprécié de travailler avec vous. Nous avons désormais un avantage certain.

– Mais... mais..., bafouilla Amy.

Alistair vit le visage de sa nièce se décomposer. Elle aurait aimé poursuivre la collaboration – ce qui était une très mauvaise idée.

– Nous allons immédiatement rentrer à Séoul, annonça le vieil homme en sortant son portable. Une fois là-bas, nous pourrons...

– Oh, vous ne capterez aucun réseau ici, affirma Ian en retournant vers l'entrée de la grotte, sa sœur sur les talons.

– En fait, je crains que vous ne captiez rien, disons, pendant les cinq prochains siècles, ajouta celle-ci d'un ton moqueur.

Et elle tira de sa poche son pistolet à fléchettes.

Alistair se jeta devant son neveu et sa nièce pour les protéger, mais Amy l'écarta.

– Enfin... Natalie ?

– Ce n'est pas franchement drôle, les gars ! soupira Dan.

Il fit un pas vers eux, mais Natalie lui pointa l'arme entre les deux yeux.

– Dan ! hurla Amy en le tirant en arrière.

Ian lui jeta un regard. Un instant, elle crut apercevoir sur son visage… Quoi ? L'ombre d'un doute ? D'une émotion ? Le signe que tout cela n'était qu'une mauvaise plaisanterie ? Mais cette expression disparut aussi vite qu'elle était apparue. Il fit sauter la pièce dans sa paume.

– Au fait, merci !

– Comment a-t-il pu la récupérer ? s'étonna Dan.

– Je-je…, bégaya sa sœur. Il…

– Trésor de famille, commenta Ian.

Il recula jusqu'à l'entrée, glissant la pièce dans la bouche de la statuette.

– Ne vous en faites pas. Quand nous aurons remporté le défi et obtenu ce qui nous revient, nous passerons sans doute vous rendre une petite visite. Si vous êtes toujours en mesure de nous recevoir, bien entendu. En attendant, les amis, je vous conseille d'économiser vos batteries. Et votre oxygène.

La caverne s'ébranla. Lentement, la paroi de pierre reprit sa place.

La dernière chose qu'Alistair aperçut avant qu'elle ne se referme complètement fut le canon du pistolet de Natalie Kabra.

16. Enterrés vivants

« Idiote.

« Imbécile.

« Crétine. »

Amy fixait la porte, la paroi sombre devant laquelle Ian se tenait quelques instants plus tôt.

« Alors tout cela n'était qu'une sinistre
comédie ! Il l'avait manipulée sans aucun scru-
pule.

« Comment était-ce possible ? Comment pouvait-
on faire ça à quelqu'un ? »

Les larmes roulaient sur ses joues et tombaient
goutte à goutte sur le sol avec un bruit mat.

Dans son dos, Alistair et Dan, sans se préoccuper d'elle, échafaudaient des plans, tentaient de trouver comment sortir. Comment échapper à une mort certaine.

« Trop tard », pensa Amy. Elle avait l'impression d'être déjà morte.

Petit à petit, leurs voix s'infiltrèrent jusqu'à son cerveau.

– Je vais chercher une autre issue, disait Alistair. Vous deux, regardez s'il y a une faille dans la paroi rocheuse. Si les chauves-souris peuvent y vivre, c'est qu'il doit y avoir une source d'air, un trou quelque part.

Elle acquiesça machinalement.

Tandis que les pas de leur oncle s'éloignaient, Dan s'accroupit à côté d'elle.

– Tu sais, moi aussi, j'aimerais l'étrangler de mes propres mains.

– C'est ma faute. Je lui ai fait confiance. Je suis tombée droit dans son piège...

Son frère l'aida à se relever et promena le halo de sa lanterne autour d'eux, examinant le moindre centimètre carré de paroi. Mais il faisait noir comme dans un four, et, au bout de quelques minutes, Amy eut la sensation de manquer d'oxygène.

La voix d'Alistair résonna au loin.

– Il n'y a pas la moindre issue. J'ai fait le tour, c'est plus grand que je ne pensais. On est coincés.

« C'est un tombeau, songea Amy. Il nous a enterrés vivants. »

Elle sentit une main sur son épaule.

– Je suis vraiment désolé, ma chère nièce. J'ai bien vu que tu avais un petit faible pour ce garçon, j'aurais dû intervenir. J'ai laissé faire, c'était une erreur.

La jeune fille soupira.

– Je ne comprends pas comment j'ai pu y croire. Comment j'ai pu m'imaginer qu'il avait des sentiments...

Les mots restèrent coincés dans sa gorge.

– Ça ne te consolera sans doute pas, mais je sais ce que ça fait de se sentir trahi, affirma son oncle.

Elle se tourna vers lui. Elle distinguait à peine son visage dans la pénombre.

– C'est vrai ?

Il allait répondre quelque chose, mais sembla se raviser.

– Concentre-toi sur une seule pensée, Amy : tes parents t'aimaient. Ça se voyait dans leur regard. Pense à eux, et ils te soutiendront.

– Vous... vous les avez connus ?

– AAAAAAH ! hurla Dan de l'autre côté de la grotte. Répugnant ! Je crois que j'ai marché sur une chauve-souris. Dites, vous ne voudriez pas reprendre cette conversation plus tard ? Enfin, si l'on sort de là un jour au lieu de se faire dévorer par ces bestioles.

Alistair s'éloigna, laissant Amy avec mille questions qui lui brûlaient les lèvres.

– Dan, n'abandonne pas la partie ! reprit le vieil homme d'un ton encourageant. Il n'y a pas de problèmes, il n'y a que des solutions, ne l'oublie jamais. On va sortir d'ici. Et je suis sûr qu'on arrivera au lac Tash avant les Kabra.

– Euh, ça ne risque pas. Le lac Tash n'existe pas. J'ai tout inventé.

Alistair le dévisagea, stupéfait.

– Mais… et l'anagramme ? s'étonna Amy.

Dan poussa un profond soupir, dirigeant la clarté de sa lanterne sur la feuille où il avait gribouillé les lettres.

– J'ai tout de suite trouvé la bonne réponse, mais je me méfiais. J'ai lancé ça comme appât, pour voir leur réaction. En fait, c'était un jeu d'enfant.

Il se remit à griffonner. Amy le regardait d'un œil distrait, contemplant le reflet étrange de la lampe dans le miroir.

– Attendez ! s'écria-t-elle soudain. Le miroir… vous avez déjà vu un miroir triangulaire ?

– Euh… c'est un truc moderne. Du design futuriste, sans doute, suggéra son frère.

– Non, c'est un truc d'alchimiste ! Réfléchis, Dan. L'alchimie attribue un symbole à chaque chose : les planètes, les éléments…

– Et alors ? Le triangle, c'est quoi ?

Elle essaya de se représenter la table d'alchimie qu'ils avaient découverte dans la bibliothèque d'Alistair.

– L'air ? L'or ?

– Non, non… je sais ! affirma Dan. L'eau. Non, attends. Avec la pointe en bas, c'est l'eau, mais pointé vers le haut… c'est le feu !

Il braqua sa lampe sur le miroir.

Juste au-dessus, hors de sa portée, Amy remarqua plusieurs ficelles noirâtres qui pendouillaient. Elle eut un haut-le-cœur. On aurait dit des queues de rats.

– Hum… les bestioles… elles sont vivantes ?

Soudain, Dan baissa les yeux. Puis il s'agenouilla pour gratter le sol noirâtre avec ses ongles.

– Du charbon. Il doit provenir de là-haut.

Alistair leva la tête.

– Qu'est-ce que c'est que ça ?

Amy se força à suivre son regard. À son grand soulagement, les fils qui pendaient étaient bien trop longs pour des queues de rongeurs, ce devait être de simples ficelles s'insinuant dans une fente de la roche.

Elle remarqua alors une odeur caractéristique.

– Oh, bon sang… vous sentez ?

– Crottes de chauves-souris ? proposa Dan.

– Œuf pourri ? renchérit Alistair.

Elle l'encouragea à poursuivre :

– Oui, et cette odeur d'œuf pourri, ça vient…

– D'un poulailler ? suggéra son frère.

– Du soufre !

Dan sourit.

– Ah oui, on a vu ça en chimie l'an dernier. J'ai glissé un tube à essai dans le sac de Mandy Ripkins, avec le bouchon pas bien enfoncé. Vous imaginez la puanteur quand elle l'a ouvert…

– Du charbon, du soufre…, répéta Amy en se creusant les méninges. Mélangés à un autre ingrédient, ça donne…

Elle avait pourtant étudié ça en classe.

– Un barbecue ?

Brusquement, ça lui revint.

– Mais non, crétin ! le coupa-t-elle en regardant les ficelles au-dessus de sa tête. De la poudre à canon !

– Hum… tu crois qu'il y a de la poudre là-haut ? s'étonna son frère.

– La poudre existait déjà depuis plusieurs centaines d'années au XVIᵉ siècle, confirma Alistair. C'est une invention chinoise qui s'est ensuite propagée en Orient.

Et je crois que ces ficelles ne sont pas là pour rien. Ce sont des mèches !

– Bien vu, jeune fille ! s'exclama son oncle. Tu es un génie ! Ce miroir a donc une double fonction. Il pointe vers le haut, pour orienter notre regard, et il symbolise le feu. Ça ne m'étonne pas de Hideyoshi : en guerrier rusé, il a prévu une issue de secours pour s'échapper de son repaire, au cas où.

– Dan, tu as encore la pochette d'allumettes de l'hôtel « Merci Infiniment » ?

– Hé, ça ne va pas ! On ne va quand même pas tout faire sauter ! protesta son frère. On risque d'y laisser notre peau.

– C'est de la poudre à canon, pas de la dynamite, intervint Alistair. Pour faire sauter ces blocs de schiste granitique, il faudrait un explosif beaucoup plus puissant. À mon avis, la déflagration sera très localisée. Si ça se trouve, rien ne bougera. Le schiste, c'est du solide.

Leur oncle s'efforçait de les rassurer, mais sa voix tremblait un peu. Amy observa son frère. Même dans la pénombre, elle arrivait à deviner ses pensées.

« Tu le crois ou pas ? », disait-il.

« Je ne sais pas », répondit-elle.

« Moi non plus. Alors on a le choix entre risquer d'être atomisés par des tonnes de granit ou… »

Il se détourna. Il ne voulait pas que sa sœur lise la suite dans ses yeux.

« Ou mourir de faim, lentement mais sûrement. »

Elle avait visiblement déjà fait son choix.

– J'imagine que c'est notre seule chance de sortir de là pour nous venger des Kabra, conclut-il.

Amy sourit, ravalant la boule d'angoisse qu'elle avait dans la gorge.

– Allons-y ! déclara-t-elle.

Dan tendit la pochette d'allumettes à son oncle.

– Honneur au plus âgé.

Alistair en gratta une et tendit le bras. La flamme lécha le bout d'une des ficelles, vacilla un instant, puis finalement s'éteignit.

– Les mèches sont vieilles, déclara-t-il en jetant l'allumette par terre.

Il ouvrit la pochette. Il n'en restait plus que trois.

– Où sont passées les autres ?

Dan toussota, penaud :

– Hum…

Il s'était amusé à les craquer en attendant le taxi à Tokyo.

Alistair prit une profonde inspiration.

– Bon, alors croisons les doigts.

Il leva une autre allumette vers la mèche. Elle crépita.

Frrttt ! Le feu se propagea rapidement.

– You hou ! cria Dan tandis qu'il les allumait les unes après les autres.

Les flammes couraient le long des mèches et pénétraient dans la fente de la roche.

– Reculez ! ordonna Alistair en les tirant en arrière.

Ils coururent se réfugier dans les recoins de la caverne.

Boum !

Boum ! BOUM !

CCCCCRRRRA-A-A-AC !

Une pluie de pierres s'abattit dans la grotte, tintant contre les objets en or, écrasant les malles. Le miroir tangua pour finalement venir se briser par terre en mille morceaux.

Un rai de lumière filtra par une petite fissure tout en haut de la paroi rocheuse.

– On a réussi ! hurla Dan.

Ils se précipitèrent, trébuchant sur les cailloux, les débris, les éclats de verre.

CRRRRAC !

Des rochers de plus en plus gros tombaient dans la caverne. Amy et Alistair s'écartèrent de justesse, protégeant leur tête de leurs bras.

– Tout est en train de s'effondrer ! cria Dan en tirant un coffre juste sous l'ouverture. Vite !

Alistair grimpa sur la malle, aida Amy à le rejoindre et la souleva, avec une vigueur surprenante pour son âge.

La jeune fille s'étira au maximum sans parvenir à s'agripper au rebord.

– Un, deux, trois !

Il la hissa plus haut.

– C'est bon ! annonça-t-elle triomphalement.

Elle avait trouvé une prise dans la roche. Tandis qu'elle tentait de grimper, son oncle la poussa par les pieds.

Elle inspira une bouffée d'air frais. Puis elle saisit une racine qui s'était insinuée dans la roche et coinça son coude dans une anfractuosité pour s'extirper de la grotte.

Le soleil. L'odeur humide de la terre et de l'herbe.

Elle s'écarta avec précaution du trou et tendit la main en criant :

– Venez !

– Hisse et ho ! gronda Alistair.

Amy prit son frère par le poignet et tira. Dan était lourd. Elle ne réussit qu'à dégager son buste, mais c'était suffisant. Il se faufila lui-même hors du trou.

Elle se pencha pour demander :

– Oncle Alistair, pouvez-vous empiler d'autres malles pour grimper un peu plus haut ?

– J'essaie ! répondit-il.

BBBRRROOOOUUUM !

Le rocher trembla. Un gros pan de pierre s'écroula aux pieds de la jeune fille. Le grondement semblait se propager, suivant la fente de la roche.

– Oncle Alistair ! hurla Dan. Ça va ?

Il colla l'oreille contre le trou. Amy entendit le vieil homme répondre quelque chose, mais le fracas couvrit ses mots.

Dan s'agenouilla, tendant le bras.

– Prenez ma main ! Sautez !

Pas de réponse.

Ils crièrent son nom à s'en briser la voix.

Mais le trou commençait à s'élargir. Sous leurs pieds, la pierre se fissurait. Ils sautèrent au bas du rocher, roulant à terre.

À genoux, les mains plaquées sur les oreilles, ils virent le W entier s'écrouler de droite à gauche, à la manière d'un château de cartes.

Un énorme nuage de poussière s'éleva dans les airs, assombrissant le ciel. Puis le silence revint. Les deux enfants, hébétés, fixèrent le tas de pierres jonchant le sol.

Finalement, les lèvres d'Amy se mirent à remuer malgré elle.

– Qu'est-ce qu'il t'a dit ?

– Que ce n'était pas du schiste, murmura Dan.

17. Rencontre inattendue

Lorsque Amy courut se cacher derrière un arbre pour vomir, Dan ne se moqua pas d'elle, car il était en train de faire exactement la même chose.

Alistair était mort, presque sous leurs yeux. Il leur avait donné sa confiance, ses conseils, son aide. Et finalement, sa vie.

Cela semblait irréel. Il aurait dû surgir de derrière un buisson, en époussetant son pantalon soigneusement repassé. Et soupirer : « Pfiou, quelle aventure ! »

Cependant, tout ce que Dan voyait, c'était des nuages de poussière. De la poussière, des touristes et des gyrophares.

Il avait déjà vécu ça. Sa vie n'était qu'une succession de deuils. Il s'était juré de ne plus jamais s'attacher à un adulte parce que ça faisait trop mal de perdre quelqu'un qu'on aimait.

Et pourtant, il avait recommencé.

Il sentit sa sœur passer un bras autour de ses épaules.

Un policier s'adressa à eux en anglais, mais Il n'arrivait pas à comprendre le sens de ses questions.

– Il s'appelle… il s'appelait Alistair Oh, fit sa sœur.

– Âge ?

– Soixante-quatre, répondit mécaniquement Dan.

Il ignorait d'où il tenait cette information. Il pensa soudain qu'Alistair ne fêterait jamais ses soixante-cinq ans. Et qu'un jour, il serait sans doute plus vieux que son oncle ne l'avait jamais été.

– Comment était-il habillé ? demanda le policier, ce qui vu les circonstances semblait complètement absurde.

– Veste en soie… belle chemise, fit Dan. Et il portait toujours des gants blancs. Et une sorte de chapeau rond…

– Un chapeau me… me…, bégaya Amy.

– Melon, compléta-t-il.

Le policier prenait des notes, mais Dan savait pertinemment qu'il n'allait pas mener une opération dc sauvetage. Personne n'essaierait pas de tirer son corps des décombres. Nul ne pouvait survivre à une telle explosion.

Tandis que l'agent s'éloignait en murmurant quelques paroles de réconfort, Amy gardait les yeux dans le vague, évitant de contempler le désastre.

– Dan… regarde ! s'écria-t-elle soudain.

Sur la droite, un petit groupe venait juste d'arriver. Ils n'avaient pas l'allure des autres randonneurs. La plupart étaient vêtus de costumes bleu marine avec des lunettes et des chaussures noires. Ils avaient sur les oreilles des écouteurs d'où pendouillait un câble tirebouchonné.

Au centre se tenait un homme âgé, maigre, drapé dans un pardessus. Il portait un foulard en soie autour du cou, une chemise de drap fin et un chapeau de feutre sombre légèrement de travers. Il avançait d'un pas fringant, en s'appuyant sur une canne sertie de pierres précieuses.

– C'est l'homme qu'on a vu à Tokyo dans la ruelle, à la sortie du métro, affirma Dan.

– Qu'est-ce qu'il fabrique ici ? s'étonna sa sœur.

Le garçon écarquilla les yeux. Derrière le vieil homme, il avait reconnu quelqu'un qui leur était encore plus familier. Quelqu'un qui était présent lorsque le manoir de Grace avait pris feu. Quelqu'un qu'ils avaient croisé à Paris et à Salzbourg. Il ne

leur avait jamais adressé la parole, mais bizarrement il était toujours là.

Dan n'eut pas besoin de le montrer à Amy. Elle
l'avait vu aussi.

– L'homme en noir…, murmura-t-elle en se recro-
quevillant sur elle-même.

Rasant le sol, les deux enfants se cachèrent derrière un buisson.

– Tu arrives à entendre ce qu'ils se disent ?

Dan se leva et, remontant sa capuche sur sa tête,
se mêla à la foule des curieux. Il vit le vieillard
saluer le policier qui venait de les interroger.

L'homme en noir, en revanche, n'avait visiblement pas envie de discuter. Il s'avança à pas lents
vers l'éboulement.

Dan surprit des bribes de conversation en coréen.
Le policier et le vieil homme n'échangèrent que
quelques mots, car ce dernier semblait s'impatien-
ter. Finalement, après quelques courbettes supplé-
mentaires, l'officier de police s'éloigna.

D'un geste, le vieillard ordonna à ses compagnons de rester où ils étaient, tandis qu'il rejoignait
le mystérieux étranger vêtu de noir.

Les deux hommes contemplèrent les dégâts en
silence. Dan jeta un regard vers sa sœur qui, paniquée, lui fit signe de revenir.

Mais, profitant que les deux autres lui tournaient le dos, il s'approcha encore.

Lorsque le vieillard prit la parole, ce fut d'une voix claire. Et en anglais.

– Mon neveu se trouvait à l'intérieur.

L'homme en noir inclina la tête, un léger mouvement des lèvres trahit une réaction : compassion ? satisfaction ? Impossible à dire.

Ils paraissaient en désaccord, mais Dan ne comprit pas à quel propos.

Le vieil homme fit soudain volte-face pour retrouver son escorte. Il lui suffit d'esquisser un hochement de menton pour qu'ils lui emboîtent tous le pas. D'un même mouvement, le petit groupe regagna l'entrée du parc.

Du coin de l'œil, Dan vit l'homme en noir se frayer un chemin parmi les décombres, puis se pencher. Il avait visiblement trouvé quelque chose – sans doute un objet ayant appartenu à Hideyoshi. Bientôt, une fois l'endroit déblayé, le monde entier découvrirait ses trésors. Ils seraient à la merci des pillards, on se disputerait pour savoir à qui ils devaient revenir. Dès qu'il y avait de l'argent en jeu, c'est ce qui se produisait. On lisait ce genre d'histoire dans la presse tous les jours.

Mais pour l'instant, de l'extérieur, on ne voyait qu'un gros tas de cailloux.

En fin de compte, l'objet que l'homme en noir avait ramassé dans les décombres n'appartenait pas à Hideyoshi.

Lorsque Dan découvrit de quoi il s'agissait, il étouffa un cri.

C'était un chapeau melon, tout aplati.

Quand Amy et Dan arrivèrent en traînant les pieds sur le parking, la police était en train d'interroger la jeune fille au pair et le chauffeur d'Alistair, qui avait l'air effondré.

Nellie se rua sur eux, avec Saladin dans les bras.

– Bon sang ! J'ai appris ce qui s'était passé ! J'ai bien cru que je ne vous reverrais jamais ! Vous êtes dans un état !

Elle les serra dans ses bras, écrasant au passage le mau égyptien, qui poussa un miaulement indigné :

– *Mrraw* !

Amy le caressa distraitement.

– C'est une longue histoire. On a réussi à s'échapper, mais Alistair…

Elle laissa sa phrase en suspens. Derrière elle, Dan essuya une larme.

– Oui, je sais, fit Nellie en posant la main sur l'épaule du garçon. Allez, venez, rentrons.

Dans la voiture, Amy lui raconta en détail ce qui était arrivé et termina par la découverte du chapeau melon aplati. La jeune fille au pair l'écouta attentivement, acquiesça, puis le reste du trajet se déroula en silence. Dan aurait voulu dire quelque chose, mais toutes les phrases qui lui venaient à l'esprit lui paraissaient idiotes. « C'était un grand homme. » « Il était entièrement dévoué à la famille Cahill. » « Il va nous manquer. »

Il se rendit alors compte qu'il ne connaissait pas vraiment Alistair. Leur oncle en savait infiniment plus sur eux. Il les avait trahis, mais à la fin il leur avait sauvé la vie.

Lorsqu'ils arrivèrent chez lui, les oiseaux pépiaient dans les cornouillers, de petits nuages blancs moutonnaient à l'horizon. Comme si de rien n'était. Harold, le majordome, vint leur ouvrir la porte, le visage ravagé de tristesse.

Amy compatit :

– Nous sommes sincèrement désolés.

Après avoir ôté leurs chaussures, Amy, Dan et Nellie se traînèrent jusqu'à la cuisine où Harold leur avait préparé des sandwiches. Dan repoussa le sien. Glissant la main dans sa poche, sa sœur en tira une feuille de papier froissée et une pièce d'or.

– Ce doublon, c'est la dernière chose qu'il m'a donnée. Et ce papier, c'est quoi ? voulut savoir Amy.

Dan lissa du plat de la main la page où il avait décodé le dernier indice.

KATE LASH
THE SKALA
SALE KATH
SEL ATKHA
LAKE TASH

ALKAHEST

– Alors c'était ça ! s'étonna-t-elle. Le dernier indice n'était pas « Lake Tash » mais « Alkahest » ?

Dan acquiesça.

– Oui, le mot savant pour désigner la pierre philosophale.

– C'est un terme d'alchimie. Mais… ce ne peut pas être un indice si ça n'existe pas.

Dan haussa les épaules, lançant le doublon dans les airs.

– Qu'est-ce que j'en sais ? Hideyoshi était accro à l'alchimie.

La pièce retomba dans sa paume, révélant la silhouette d'une déesse égyptienne entourée de caractères étranges.

Amy écarquilla les yeux.

– Attends ! Vite, donne-moi un crayon.

Elle lui prit son critérium des mains et ajouta un mot au bas de sa liste.

AL SAKHET

– Ça veut dire quoi ? demanda Nellie.

Amy sautillait sur place.

– On a étudié l'Égypte ancienne l'an dernier. « Al » signifie « de » et Sakhet était une déesse.

Nellie pencha la tête sur le côté.

– Non ? Sérieux ?

– Le message du miroir..., marmonna Dan entre ses dents.

Il était bien obligé de reconnaître que, pour une empotée, sa sœur était quand même sacrément futée.

– Hideyoshi nous indiquait où se trouve la clé suivante.

– Nellie, on a les moyens d'aller en Égypte ? s'inquiéta Amy.

213

– Les Kabra ne sont pas repassés prendre l'argent qu'ils m'avaient donné, répondit-elle. Alors, en route !

Un silence de plomb se fit dans la pièce.

Dan haussa les épaules.

– C'est… c'est dur de continuer la course après ce qui vient de se produire. Quand on pense que…

– Arrête de penser, ordonna Nellie. Bon, si tu n'as pas faim, va au moins prendre une douche. Tu sens l'œuf pourri. Prends la salle de bains d'Alistair et toi, Amy, celle des invités.

Dan dut admettre que c'était une bonne idée.

L'Égypte pouvait bien attendre un peu.

En entrant dans la chambre de son oncle, il reconnut sa bonne odeur d'eau de Cologne et de linge propre. Tout était parfaitement en ordre : les photos alignées sur la commode, les livres rangés sur la table de nuit, les oreillers bien rebondis. Tout… à part une paire de gants qui gisaient sur le lit.

Des gants blancs… et sales.

Dan les prit pour les examiner de plus près. Ils étaient maculés de terre, d'herbe et d'autre chose…

Du charbon.

– Amy ! AMY, VIENS VITE !

Un cri de joie monta de son cœur et resta coincé dans sa gorge. Il tituba, assommé par cette découverte.

Oncle Alistair était vivant.

Et il les avait encore semés.

Épilogue

Le vieil homme ferma la porte de son bureau avant de se laisser tomber dans son fauteuil en cuir. Il pivota vers la fenêtre pour poser ses pieds endoloris sur le rebord. Il avait passé l'âge de faire de la marche.

De la rue montaient le grondement étouffé des moteurs, les cris exaspérés des automobilistes pris dans les embouteillages, la litanie des vendeurs ambulants. La vie humaine était résumée là : vitesse, désir, propriété. Il était las de tout ça. Mais il n'y en avait plus pour longtemps.

La voie était enfin libre.

Il alluma la musique. *Mort et transfiguration* de Richard Strauss.

Étrangement approprié pour la circonstance.

Une journée particulièrement stressante. Pénible mais inévitable.

Bah… Après la mort venait maintenant le temps de la transfiguration.

Il appuya sur le bouton de son interphone.

– Eun-hee, pouvez-vous appeler maître MacIntyre ? J'ai du nouveau pour lui.

Il attendit quelques secondes. Pas de réaction.

C'était bizarre. Sa secrétaire était pourtant là quand il était rentré quelques minutes plus tôt. Elle ne quittait jamais le bureau voisin.

– Eun-hee… ? insista-t-il.

L'interphone grésilla. Mais ce n'était pas la réponse qu'il attendait.

– Bonjour, mon oncle, fit une voix feutrée qui lui donna la chair de poule. Ta promenade dans le parc s'est bien passée ?

Les doigts osseux de Bae Oh se mirent à trembler.

– Qui… qui est-ce ?

– Eh bien, ton héritier, répondit la voix. Je ne voudrais pas te gâcher ta journée. Une bien belle journée, n'est-ce pas ? Constater que j'étais mort et que tu n'aurais pas à faire le sale boulot toi-même.

– Mais…, bafouilla le vieil homme, comment as-tu pu survivre ?

– C'est la question que tout le monde se pose. Cependant je te garantis que, quand j'en aurai fini avec toi, ce ne sera plus un problème pour personne.

Malgré ses quatre-vingts ans passés, Bae Oh avait conservé de bons réflexes. Il bondit de son fauteuil pour ouvrir la porte qui communiquait avec le bureau de sa secrétaire.

La pièce était vide.

Il entendit des pas s'éloigner dans le couloir, puis le bruit cessa. Il était parti.

Les genoux du vieil homme se dérobèrent, il s'agrippa au coin du bureau, sentant son cœur s'emballer, tandis que derrière lui la musique de Strauss se déchaînait.